宇宙誕生から
今の世界まで
一気にわかる

THE SHORTEST HISTORY
OF THE
WORLD
DAVID BAKER

早回し
全歴史

デイヴィッド・ベイカー
御立英史 訳

ダイヤモンド社

デイヴィッド・クリスチャンへ

THE SHORTEST HISTORY
OF THE WORLD
by
David Baker

This edition is published by arrangement with Black Inc.
through Tuttle-Mori Agency, Inc.

序文　「あらゆるものの歴史」を一気につかむ

ジョン・グリーン
（作家・歴史家）

私たちは面白い物語が好きだ。いくぶんナルシシストの気（け）があるので、とくに自分自身について書かれている物語が好きだ。

なぜ私たちはここにいるのか？　それはなぜなのか？

このような問いに答えてくれるストーリーを「歴史」というが、私たちは長いあいだ歴史を狭く定義し、この問いに対する答えを歪めてしまった。

私は高校生のころ、「記録されている歴史」は約５０００年前、人間が文字を発明したときから始まったと教えられた。しかしこの定義では、人間のストーリーのほとんどすべて――少なく見積もっても95％――が省かれてしまう。

もちろん、私たちは10万年前の人間のことを、チンギス・ハンやクレオパトラのことほど詳しく知ることはできない。だが、だからといってそれを無視してしまったら、人間のストーリーを実際よりずっと短いものだと思い込んでしまうおそれがある。

農業の始まりや文字の発明、あるいは何か特定のイノベーションによってストーリーが始まったと考えると、歴史は改善の坂道を上りつづけているように思えてくる。

寿命が延び、飢えが減り、貧困状態が緩和され、教育が進んだ。技術の進歩は広く共有され、さまざまな改善が積み重ねられて、人間の生活は確実に向上することが約束されている……そんなふうに思えてくる。

しかし、人類の歴史のほとんどで、ストーリーはそんなふうには進んでいない。たしかに重要なイノベーションが起こり、小さなコミュニティの中で知識が世代を超えて受け継がれてきたが、人間の生活はつねに一貫して健康的になってきたわけでも、生産的になってきたわけでもない。

この本を読めばわかるが、人間は農業や蒸気機関や抗生物質を開発するよりはるか前に、ほとんど絶滅しかけたことさえある。

いま人間は支配的な種として地球に君臨しているが、それは長い歴史の中では一瞬のことにすぎない。それを理解しないかぎり、私たちが地球とその生物圏におよぼしている劇的で急激な変化を、正しく把握(はあく)することはできない。

狭い定義に基づく歴史観は、〝ハード〟な科学（化学、物理学、生物学など）と〝ソフト〟な人文学（歴史、文学、人類学など）のあいだに誤った二項対立を生み出しがちだ。だが、どちらか一方だけでは、人間のストーリーの全体を把握することはできない。

ペスト菌とそれを媒介するネズミに関する生物学を知らなければ、14世紀のヨーロッパを理解することはできない。時間がどのようにして始まったのか、人間の体がどのようにして星のかけらからつくられたのかを知らなければ、どのようにして地球に生命が誕生したのかを理解することもできない。

デイヴィッド・ベイカーは本書で、地球や地球上の生命の歴史だけでなく、広大な宇宙の歴史も紹介している。宇宙の歴史は、人間によって始まったわけでも終わるわけでもない。人間という種は、宇宙の歴史の中の、ある一時期に生まれ出た存在であって、宇宙は人間が絶滅したあとも続く。

長大な宇宙の歴史に思いをめぐらすとき、ひとりの人間の存在、いや人間という種の存在さえ、とても小さく感じられる。しかしそれは、生命の不思議、生命の驚異を思い起こさせてくれるものでもある。

著者が書いているように、私たちが夜空を眺めるとき、私たちは宇宙を見上げているのではない。宇宙そのものである私たちが、自分自身を見つめているのだ。

目次

第1部　無生物の時代
138億年前～38億年前

CHAPTER 1　ビッグバン　信じられないほど不思議な始まり

CHAPTER 2 星、銀河、複雑さ

火の球から次々と「星」が生まれる

第2部

生物の時代

38億年前〜31万5000年前

CHAPTER 3 地球誕生

どろどろ燃える灼熱の玉

CHAPTER 4 生命と進化

その目を見張るような奇跡

CHAPTER 5

繁栄と絶滅

次々と生まれては絶滅していく

CHAPTER 6

進化する霊長類

「恐竜のあと」に現れたものたち

第3部 文化の時代

31万5000年前～現在

CHAPTER 7 狩猟採集民 大移動する「ヒト」たち

CHAPTER 8

定住の罠
農耕で「複雑さ」のレベルが変わった

CHAPTER 9

農業国家

土地と富をめぐる栄枯盛衰

CHAPTER 10

グローバル化

破壊と苦しみのネットワーク

CHAPTER 11

人新世 人は「絶滅」に突き進んでいるのか？

第4部 未知の時代

現在〜10^{40}年後

CHAPTER 12 超未来

すべては消えて「無」になるのか?

※本文中の〔　〕は訳注を表す。

INTRODUCTION

この世界の「本当の始まり」から「本当の終わり」まで

本書は、宇宙に存在するすべてのものを貫く歴史的変化の連続性をたどる試みである。**ビッグバン**に始まり、単純な水素ガスの集積から生命が生まれ、進化し、複雑な人間社会が構成されて今日に至るまでの、**138億年のストーリー**を語る試みである。

歴史を知ることで、私たちはただ一度の人生ではなく、多くの人生を生きることができる。本書を読むことによって、私たちは長大な歴史を意識に植えつけることができる。だれもが「森羅万象のストーリー」の要点だけでも理解していたら――少なくとも自国の歴史の重大イベントと同程度に理解していたら――人間のアイデンティティ、哲学、未来に関する多くの混乱は解消されるだろう。

時間を一気にズームアウトして、ビッグバンから今日までの138億年を俯瞰(ふかん)したら、現代社会の混沌がもたらす厚いベールの向こうに、宇宙の歴史の全体とその軌跡を見ることができる。最初の原子から最初の生命へ、人間へ、そして社会やテクノロジーに至る、**「宇宙の複雑さの増大」**という壮大なストーリーが見えてくる。

そうすることで私たちは、細かい出来事にとらわれずに、途方もなく長い時間を旅することができる。

なぜなら、答えに求められる情報の量と詳しさは、問いの性質によって変わるからだ。

この本の問いはきわめてシンプルだ――私たちはどこから来て、どこへ行くのか?

宇宙が終わるとき、何が起こるか?

未来については、この本は次の100年、1000年にとどまらず、100万年、10億年、1兆年、1000兆年、さらに宇宙が終わるかもしれないときまでの時間を探求する。

科学が苦手な人のためにあらかじめ伝えておくと、この本には数式は出てこないし、なじみのない宇宙の物理現象も平易な言葉で語られているので心配は無用だ。

歴史ファンに伝えたいのは、138億年の宇宙の歴史に当てはめれば、人間の歴史はだれかが言ったように、**「エッフェル塔のてっぺんに塗られたペンキの薄い膜」**にすぎない

宇宙・地球・人間の歴史

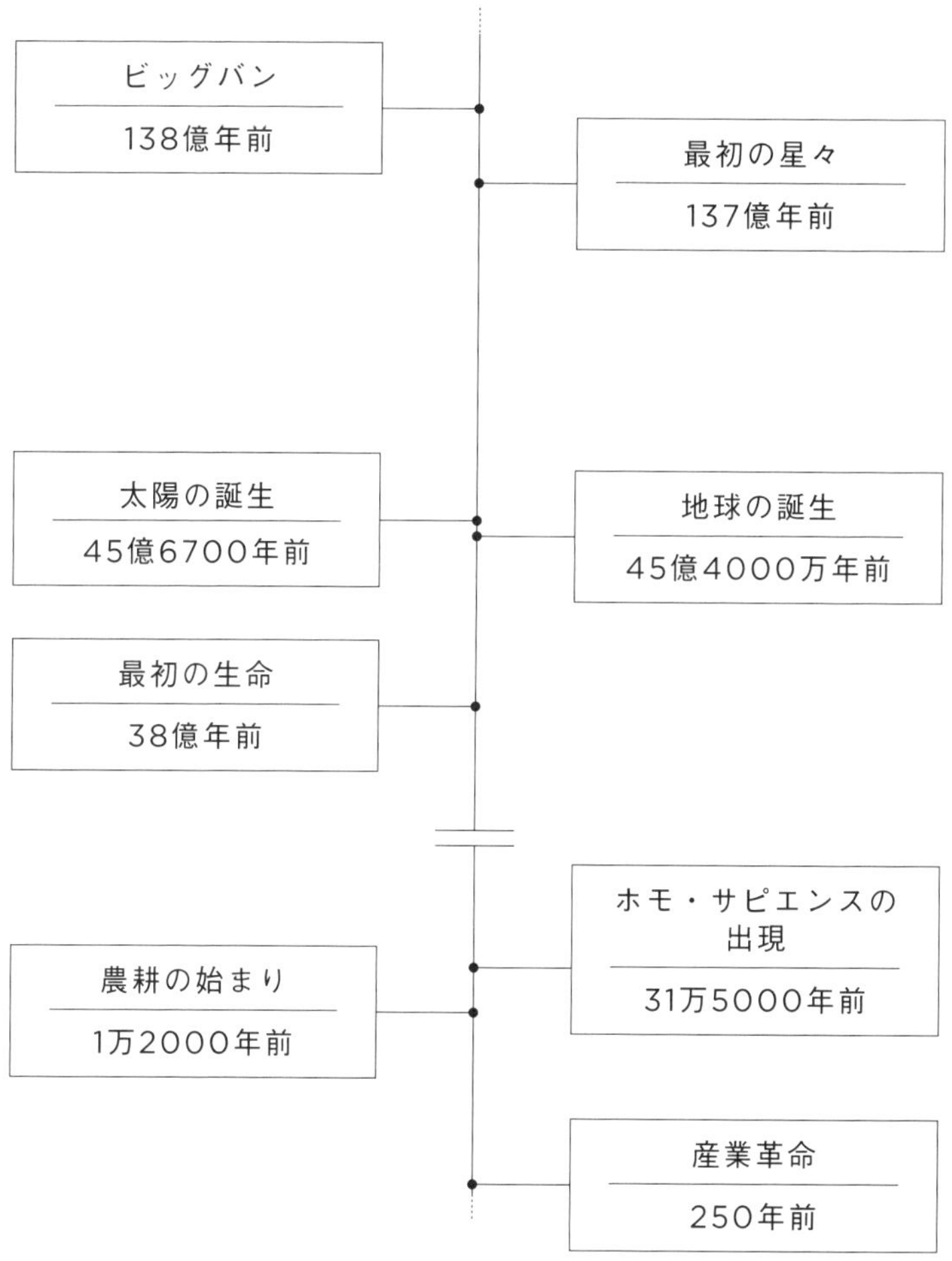
ビッグバン
138億年前
最初の星々
137億年前
太陽の誕生
45億6700年前
地球の誕生
45億4000万年前
最初の生命
38億年前
ホモ・サピエンスの出現
31万5000年前
農耕の始まり
1万2000年前
産業革命
250年前

が、現実的で客観的な理由によって、人類は宇宙のストーリーにおいて重要な役割を占めているということだ。

私たちが知るかぎり、これまでのところ、人間の社会とテクノロジーがつくり上げた構造以上に複雑なものは宇宙のどこにも存在しない。人間の社会は80億の脳が織り成す緊密な網の目のようなものであり、それぞれの脳には天の川銀河の星の数に匹敵するほどのノードとコネクションがある。

次の複雑さの跳躍は、人間の脳の働きによって起こるだろう。人間でないとしても、宇宙のどこかで進化した私たちのような生命体の働きによって起こる可能性が高い。

宇宙は速度を増しながら「変化」している

フランスの歴史家フェルナン・ブローデルは、近年の歴史における政治的な出来事を、時間の海の表層に現れる泡や波頭(なみがしら)に喩(たと)えた。今日あったと思えば、明日には消えているようなものだということだ。

私たちがいまどこにいて、どこへ行こうとしているのかを真に理解するためには、表面的な泡や波ではなく、深い底を進む海流と潮目を知らなければならない。

宇宙の複雑さは増していく傾向があり、それが歴史の海の全体を動かしている。複雑さを増していく宇宙の大きな潮流が私たち人間を誕生させ、変化させつづけている。

そして驚くべきことに、**自己を認識する能力**を獲得した私たち人間は、複雑さが次にどこへ向かうかをコントロールする力を持つに至ったのである。

私たちの過去は、三つの段階（フェーズ）に分けることができる。

- **無生物の時代**：138億年前〜38億年前
- **生物の時代**：38億年前〜31万5000年前
- **文化の時代**：31万5000年前〜現在

各段階で「複雑さ」が飛躍的に増大すると、次の段階への移行が起こる。

「無生物の時代」は、ビッグバンから地球形成までで、生命の存在しない宇宙を対象とする歴史だ。

「生物の時代」は、地球の海の底に出現した微細な生命から始まり、何十億という複雑な種や生態系が進化するまでの歴史だ。

「文化の時代」は、人類が知識を蓄積し、道具や技術を短期間で開発できるようになったときに始まった。この段階の人間は、生物学的に大きな変化がなかったにもかかわらず、行動や生活様式を大きく変化させた。

天体が衝突して雷鳴がとどろいた時代から、**自然選択**による進化が何代も続いた時代へ、そして集団学習や文化的進化の時代へと、段階ごとに複雑さが飛躍的に増大した。

増大したのは複雑さだけではない。「変化のスピード」も増大した。宇宙は数十億年かけて変化し、生命は数百万年かけて進化したが、文化の変化は数千年、数世紀、数年、ときには数日の単位で現れることがある。

複雑さの増大、重要な出来事、新たな進化の形態は、いずれもそれに先立つ段階の上に築かれてきた。

進化が「新しい段階」に移行する

私たちのストーリーには第四の段階がある。それがどんな世界か、私たちはまだ知らない。だが、複雑さがさらに飛躍的に増大し、宇宙の進化と歴史の変化はまったく新しい次元に移行するだろう。

おそらく人間は、自己認識能力を持つＡＩ（人工知能）の創造力の加速度的進化とイノベーションの力を取り入れることになるだろう。自分の意識をコンピュータにアップロードして、銀河系を旅するようになるかもしれない。量子物理学の進歩によって、宇宙の構成要素や法則さえ自在に操れるようになるかもしれない。

確実にわかっているのは、複雑さが完全に失われてしまわないかぎり、何らかの複雑さが増大するのは時間の問題だということであり、人間の領域では複雑さは加速度的に増大しつづけるということだ。

いま生きている世代は、１３８億年前から続くストーリーの中で重要な役割を担っている。ビッグバンから現在までのストーリーを理解して、私たちは数十億年先の未来につながる次の一歩を、正しい方向に踏み出さなくてはならない。

第1部

無生物の時代

138億年前～38億年前

ビッグバン

CHAPTER 1

信じられないほど
不思議な始まり

THE BIG BANG

宇宙に存在するすべてのものが現れた。

「空間」が生まれ、すべてのものをその中に収めた。

「時間」が生まれ、その中ですべてのものが形を変えはじめた（すなわち歴史が始まった）。

すべてのものの本質は、原初のエネルギーと物質であった。

それが、宇宙に存在するさまざまなものに姿を変えた。

138億年前、こうしてすべてが始まった

138億年前、**小さく、熱く、白い点**が現れた。肉眼ではもちろんのこと、現代のもっとも強力な顕微鏡でも見ることができない小さな点だった。

そのとき、はじめて時空連続体と、その中に閉じ込められた超高温で超高密度のエネルギーが出現した。その外（そと）には何もなかった。宇宙にあるすべてのものを形づくるすべての要素がその中にあった。それらの要素はその後の数十億年間、粘土の塊（かたまり）が自在に形を変えるように、何度も姿を変えながら無数のものを形づくった。

歴史の絶対的な始まりは、**ビッグバンから10のマイナス43乗（10^{-43}）秒**が経過したときである。1・0の小数点の位置を43桁、左に移動させることで表せる秒数だ。

0・0000000000000000000000000000000000000
000001秒

かぎりなく微小な時間の薄片。これが測定可能な時間としては最小のまとまりだ。

これより短い時間では、どんなわずかな変化も起こらないので、物理的に意味がない。10のマイナス43乗秒というのは、光の量子が最小の距離を移動するのに要する時間である。この極小の時間で、何らかの変化を示せるほど速く動くものは宇宙に存在しない。

それより短い時間（たとえば10のマイナス50乗秒）を捉えたスナップショットは、10のマイナス43乗秒を写したものと完全に同じに見える。映画が動きはじめる前の最初の1コマのようなものだ。

宇宙は原子より、いや原子を構成する粒子の1個より小さかった。その小さな空間にすべてが押し込まれるほど高圧だったので、宇宙は想像を絶するような高温だった。

絶対温度で142000000000000000000000000000000ケルビン、すなわち142ノニリオン（10の30乗）ケルビンである（これほど高温だと摂氏でも華氏でもケルビンでも実質的な違いはない）。

そこでは物理の法則も首尾一貫した動きをしない。あまりにも高温のため、宇宙を動かす法則そのものが、いわば〝溶けて〟しまっているのである。まさにカオス。アリスの不思議の国で大量のＬＳＤを服用したような世界が展開した。

10秒後、宇宙は「10光年の大きさ」になった

ビッグバンのほんのわずかのちに――**10のマイナス35乗秒後**に――宇宙はグレープフルーツほどの大きさに膨張していた。肉眼でも見えるサイズだ。温度は11・3オクティリオン（10の27乗）ケルビン以下にまで冷えた。物理学の四つの基本的な力が現在のようなかたちに〝固まる〞のに十分な冷たさである。「重力」「電磁気力」「強い力」「弱い力」の四つの働きに一貫性が生まれた。

このとき以来、宇宙は物理の諸法則に支配されている。物理法則がわずかでも違うかたちで定着していたら、宇宙は現在とはまったく違う進化を遂げていただろう。

この間、量子レベルの波紋（**量子ゆらぎ**）が、小さなエネルギーの塊を動かした。宇宙のエネルギーの分布に、ほんの少しばらつきが生じた。このばらついたエネルギーの塊が、物質、複雑さ、恒星、惑星、動物、植物、そして人間も含む、宇宙に存在するすべてのものへと姿を変えていくことになる。

ビッグバンの10のマイナス32乗秒後、宇宙は1メートルほどの大きさになり、宇宙の建

設における力仕事が終わった。宇宙のメカニズムが動きはじめ、時を刻みはじめた。

ここまでの最初の一瞬で、私たちの運命は全宇宙の構造に刻み込まれた。ここから先が「歴史」である。

次の10秒間で宇宙は10光年の大きさになった。温度は50億ケルビンまで下がりつづけ、純粋なエネルギーが凝集（ぎょうしゅう）して生まれた小さな粒子が渦を巻いて飛び交った。相反する性質のクォークと反クォーク、陽電子と電子、つまり物質と反物質が生まれて飛び交ったのだ。物質の多くは反物質にぶつかった瞬間に爆発して閃光を発し、ふたたびエネルギーに戻った。

だが物質10億個につき1個だけは、反物質とぶつからなかった。そんな一部の物質が、長い時間をかけて、いま私たちが目にしているすべてのものを形づくった。この最初の10秒に起こった奇跡によって、私たちは無から有に生まれ出たのである。

次の3分間、宇宙はさらに膨張を続けて1000光年を超える大きさになったが、情け容赦のない放射線が、そのすみずみにまで満ちていた。

生き残ったクォークは、冷えたとはいえまだまだ強烈な熱によって、陽子と中性子へと鍛え上げられた。この陽子と中性子が、水素原子とヘリウム原子の核（原子核）になった。

水素とヘリウムは、すべての元素の中でもっとも単純な、最初に生まれた元素である。水素は原子核として陽子1個だけを必要とする。それに比べればヘリウムはもっと多くの要素が必要なので、生まれた数は水素より少なかった。

宇宙は1億ケルビン以下まで冷えたが、温度の低下が速すぎて、水素とヘリウム以外はほとんど生まれなかった（リチウムとベリリウムがごくわずかに生まれただけだった）。もっと重い元素が生まれるのは1億年以上あと、恒星が誕生してからのことだ。

宇宙はその後、何万年ものあいだ膨張と冷却を続けた。

ビッグバンから**38万年**経過したとき、宇宙のサイズは1000万光年を超え、温度は3000ケルビンまで冷えていた。

冷えたといっても溶岩の温度の2倍、金やダイヤモンドを炎天下のアイスクリームのように溶かすほどの高温だ。ほとんどの複雑な構造が消滅するほどの高温だが、水素とヘリウムの原子核が電子を捕獲して完全な原子になれる程度には冷めた温度だったので、宇宙は水素とヘリウムのガスの雲で満ちはじめた。

このとき宇宙の密度も低下して、放射線と粒子が立ちこめる空間を、光子がはじめて自

時間も空間もビッグバンから始まる

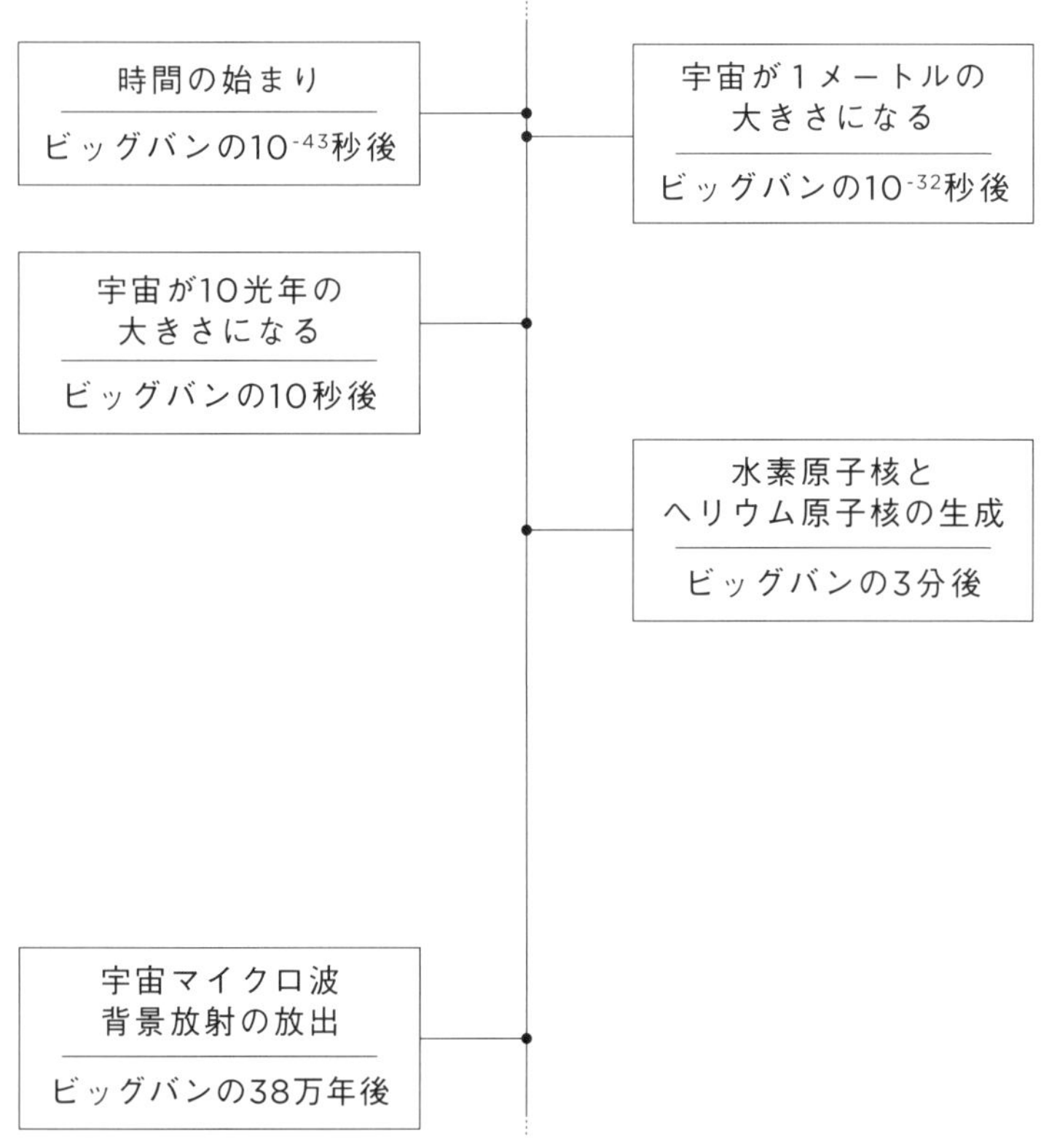

由に行き来できるようになった「**宇宙の晴れ上がり**」として知られる現象」。光子が四方八方に飛び交い、目を焼くような閃光が走った。この閃光は、**宇宙マイクロ波背景放射**（CMB）として知られており、今日でも、宇宙の中をあらゆる方向に飛び交っているのを検出することができる。

実際、ラジオやテレビで電波ノイズを拾うと、ノイズの約1・1％がCMBからのものだ。CMBは生まれたばかりの宇宙の〝スナップショット〟であり、はるか昔の宇宙を垣間見る手がかりである。

なぜビッグバンが起こったことがわかるのか？

ビッグバンが起こったことは、いくつかの理由で明らかになっている。

まず第一に、宇宙のどこにも——地球上にも望遠鏡で見える宇宙にも——宇宙の年齢と推定されている138億年より古いものを見つけることができない。もし宇宙が永遠の過去にさかのぼるものなら、1050億年前のものや802兆年前のものがあってもいいはずだ。

第二に、宇宙に存在する物質のほとんどが水素とヘリウムであること。この事実は、ビッグバン後に急速に膨張した超高温の宇宙が、重い元素が形成される暇(いとま)もなく急速に冷えたとすれば、完全に説明がつく。

宇宙が無限の昔から存在し、最初から無限に大きかったとすれば、なぜ現在のような化学組成になっているのかを説明することができない。そんな無限の宇宙では**超新星爆発**〔巨大な星が崩壊する際に起こる大爆発。爆発に際してさまざまな元素を生成して宇宙空間に放出する〕も無数に起こるから、たとえば金でさえ水素なみに太量に存在しているはずだが、現実はそうなっていない。

第三に、１９２０年代に宇宙の地図を作成した天文学者エドウィン・ハッブルは、ほとんどの銀河が地球から遠ざかりつづけていることを発見し、宇宙が膨張していることを突きとめた。だとすれば、時間を巻き戻せば、宇宙に存在するすべての銀河がある一点に凝縮される、というのがその論理的帰結だった。

しかし、ハッブルの発見にもかかわらず、**ビッグバン理論**はその後何十年間も、宇宙論の主流になることはなかった。だが、そこに第四の、もっとも重要な証拠が登場した。ビッグバンから38万年後に出現した宇宙マイクロ波背景放射である。

もしビッグバン理論が正しければ、宇宙の膨張が始まってから数十万年後には、物質と

宇宙マイクロ波背景放射

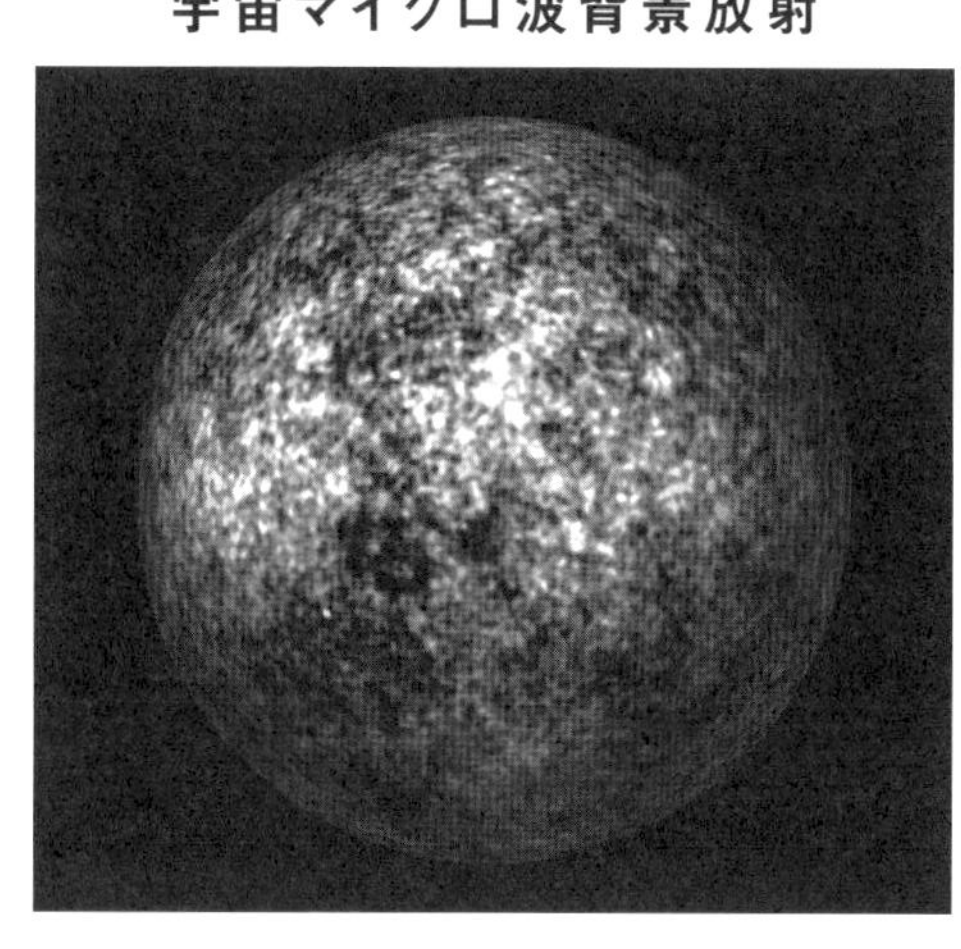

プラズマ〔固体・液体・気体に次ぐ物質の第四の状態〕と放射線があらゆるところで衝突し、そのとき生じる閃光が宇宙全体を縦横に走ったはずだ。1940年代末頃、物理学者たちは、その光の残滓（ざんし）が空のあらゆるところで見つかるはずだと考えた。

そして1964年、アーノ・ペンジアスとロバート・ウィルソンという2人の無線技士がその現象を発見した。彼らはそれを探していたわけではなく、超高感度無線アンテナの研究をしていたのだが、どうしてもかすかなノイズを電波から取り除くことができなかった。アンテナに糞を落とすハトを追い払ったりもしたが効果がなかった。

そのことを知ったプリンストン大学の物理学者が、ノイズの正体は大昔の閃光であることを無線技士たちに伝えたのだった。

これによってビッグバンは宇宙の始まりを説明する主流の理論となり、それ以後、この理論が大筋で正しいことを明確にする研究が相次いで発表された。

宇宙は「平ら」で「ベージュ色」である

ビッグバン後の最初の一瞬で、宇宙は量子のサイズからグレープフルーツのサイズに膨張した。そして1秒も経たないうちに太陽系より大きくなり、4年後には天の川銀河より大きくなっていた。

現在、私たちが知っている宇宙は**930億光年**の規模まで広がっている。宇宙が誕生してから138億年しか経っていないのだから、光がまだ地球まで届いていないほど遠くに、何十億年も前に生まれた無数の星や銀河があるということになる。地球から見ることのできる宇宙は「**観測可能な宇宙**」と呼ばれるが、その向こうに、私たちが見ることのできない多くのものがあるのだ。

また、遠くの物体が発した光は届くまでに時間がかかるので、遠くにあるものほど、私たちはその物体の昔の姿を見ていることになる。たとえば、**アンドロメダ銀河**（地球が属する天の川銀河の隣にある）は地球から250万光年離れている。したがって、いま望遠鏡で見えるのは、私たちの祖先がサーベルタイガーを警戒しながら地球上を歩きはじめた

宇宙は平らである

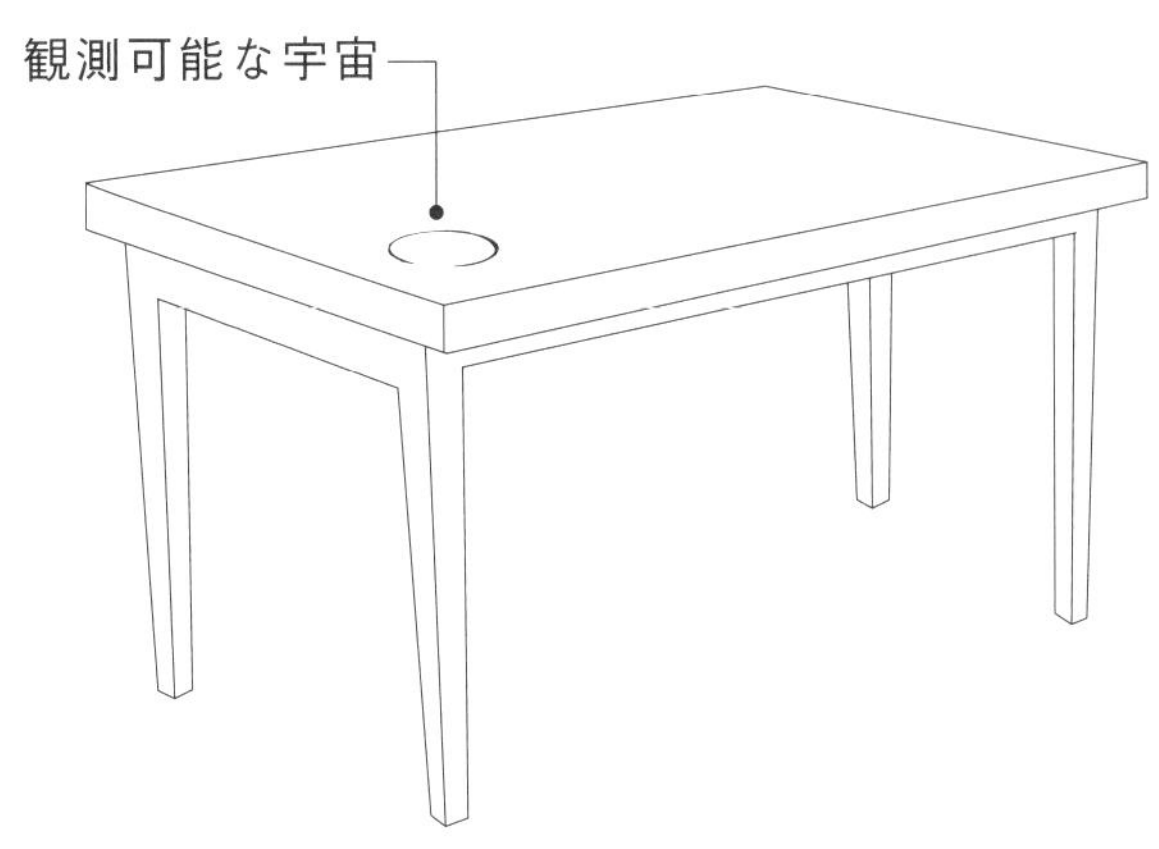

ころのアンドロメダ銀河ということになる。

地球から見ると、観測可能な宇宙はあらゆる方向に広がっている。その意味では、観測可能な宇宙は球体である。しかし、宇宙全体の形はそうではない。

物理学者たちは、**宇宙の曲率**はほぼゼロであることを突きとめた。宇宙はどこかで内側に曲がったりせず、テーブルの平坦な盤面のように、あらゆる方向に広がっているという意味である。

観測可能な宇宙は、そのテーブルの盤面のごく一部、いわばコーヒーリング〔カップを置いたときにできる輪染み〕であり、地球はその輪染みの中の木の繊維の一つにすぎない。

はるか彼方にズームアウトして宇宙全体を見渡せば、宇宙はベージュ色をしていると考えられている。観測可能な宇宙のすべての星が発する光を混ぜ合わせたら、宇宙というバブルの色はベージュになるということだ。

宇宙学者はこの色調を「**コズミック・ラテ**」などと洒落（しゃれ）た名前で呼んでいるが、要はベージュだ。私は、宇宙はベージュ色という事実が気に入っている。宇宙の威圧感がいくぶん和らぐからだ。

そこでは「異なる物理法則」が展開している
――マルチバースとは何か？

少し話がそれるが、「**マルチバース**」（多元宇宙）について触れておきたい。

ビッグバン理論（現在もっとも受け入れられているモデル）の必然的な帰結として、「**永遠の膨張**」という仮説がある。地球から見える観測可能な宇宙（コーヒーリング）は宇宙の膨張からはずれ、ビッグバン直後より拡大のペースを落としているのに対し、テーブルの盤面のほかの部分は最初の速度のまま拡大しつづけているという仮説だ。

その過程で別のコーヒーリング（いわば別の宇宙）が生まれ、私たちの宇宙とはまったく異なる物理法則や歴史が展開し、それがどこまでも続いていく。そのようにして生まれる、観測可能な宇宙とほぼ同じ大きさのさまざまな宇宙の集合が「マルチバース」と呼ばれるものである。

もっとも、宇宙が複数存在するかのような印象を与えるマルチバースというネーミングは正確ではない。なぜなら、宇宙は一つであり、複数あるのはテーブルの盤面についたコーヒーリングであって、それぞれの輪染みの中で働く物理法則が異なる、というのがこの仮説だからである。

その物理法則のバリエーションはほとんど無数にあり（10の500乗、つまり観測可能な宇宙に存在する原子の数のほぼ6倍）、それぞれの物理法則から異なる歴史が紡ぎ出されることになる。

つまり、マルチバース仮説が正しければ、たとえば、あなたが1・5秒前にこのページを読み終えた別の〝宇宙〟が存在するかもしれない。あなたが生まれていない宇宙、星のない宇宙、第二次世界大戦が起こらなかった宇宙もある。人間の顔が綿菓子のようで、歩道がピザのような宇宙もある。想像をはるかに超えるほど多種多様な宇宙が存在することになる。

もしこの仮説が本当なら、もっとも近いほかの〝宇宙〟からの光が地球に届いたときに（それが光を発するような宇宙ならばという条件がつくが）、その正しさを確認できるはずだ……3兆年後になるかもしれないが。

人間の脳はビッグバンを理解できない

宇宙はどのようにして始まったのかという実存的な問いを考えはじめると頭が痛くなるが、それは無理もない。私たち人間の脳や知覚は、直感的に理解できる物理法則が支配するようになってから以後の宇宙の中で進化してきたので、それ以前の事象を了解するのが難しいのだ。

人間の脳は、種として生き残るのに必要な範囲で、世界を本能的に理解できるように進化してきた。物は高い所から低い所に落ちる。原因があって結果がある。卵がニワトリになり、ニワトリが卵を産む。そういうことなら私たちは直感的に理解できるが、そんな世界に収まらない事象については、時間をかけて考えなければ理解できない。

ごく小さな1個のかけらを想像してほしい。これは138億年前のビッグバンから10のマイナス43乗秒後の**特異点**(シンギュラリティ)だ。この小さなかけらの中に、すべてのエネルギーと物質、すなわちその後の歴史の展開に必要なすべての構成要素が包含されていた。そう説明されてイメージするものは人それぞれだろうが、そのかけらの外に空間(スペース)があると想像するのは間違っている。

空間は宇宙の属性であり、宇宙の中にだけ存在する。宇宙が膨張すれば空間が広がるが、宇宙の外に空間があるというイメージは正しくない。夜空を見上げると無数の星がまたたく空間が広がっているが、あれは宇宙であって、宇宙の外にもあのような空間があるわけではない。ビッグバンの瞬間、かけらほどのサイズの宇宙以外には何もなかったのである。

白い紙の真ん中に、ペンで小さな点を打ってみよう。そして、点の縁に沿って紙を切り取ってみよう。そのとき、あなたの指がつまんでいる、切り取られた小さな点が初期の宇宙だ。そのほかには何も存在しない。その点の中に、時間も、空間も、エネルギーも、一切合切が含まれている。それが生まれた瞬間の宇宙だ。それがテーブルの盤面のように広がっていき、現在も膨張を続けている。

「ビッグバン以前」には何があったのか？

ビッグバン以前に**時間**は存在しなかった。したがって「ビッグバン以前」というものはない。ビッグバンの前にも何かがあったという考えは、子どもが父親と母親を引き合わせたと考えるようなもので、論理的に不可能である。

ビッグバン以前には宇宙も存在しなかった。ビッグバン以前には、何かが起こる空間がなかった。ビッグバン後、宇宙は顕微鏡でも見えないほど小さなサイズから現在の930億光年の大きさにまで拡大した（さらに拡大を続けている）。

空間はビッグバン後に生まれたものだ。ビッグバン以前は、何かが動けるような空間はなく、何らかの変化が生じるような場もなかった。変化がなければ何も起こらず、歴史もない。時間によって計られる、意味あるものは何も存在しない。

要するに、ビッグバン以前に空間はなく、変化もなく、動いたり形を変えたりするものもなかった。

もしビッグバン以前に何かが存在していたとすれば、それは人間にとっても、人間が知っている宇宙の基本法則にとっても、理解する手がかりさえない異質なふるまいをする何かであるはずだ。そこには、原因があって結果があるという順序も、過去・現在・未来という時の流れもない。

よって、私たちの歴史はビッグバンから始まったのである。

「無から何かが生まれた」とはどういうことか？

人間の考えには、「何かをつくるためには、どこかからその材料を持ってこなくてはならない」という論理が深く根づいている。

熱力学第一法則を平たく言えば、そういうことになる。「物質もエネルギーも、創造されることも消滅することもない。ただ形を変えるだけである」というのがこの法則だ。ところが、宇宙は無から出現したかのように見える。

しかしビッグバンの瞬間、宇宙は異常な高温（142ノニリオン・ケルビン）であり、そこには何の法則もなかった。熱力学第一法則もなかったし、無から有は生まれないという考えが成り立つ因果も存在しなかったのである。

さらに、ビッグバンの10のマイナス43乗秒後の宇宙はきわめて小さい、量子スケールのサイズだ。量子の世界では物事は異なる動きをする。

そのスケールでは、**仮想粒子**（直接観測することはできないが、反応の中間過程にかぎって生成消滅する粒子）と呼ばれるエネルギーの小さな波紋がつねに現れては消えている。いま私たちの皮膚を構成している原子と原子のあいだでも、仮想粒子が生まれては消えている。

それはどこからともなく現れ、いつの間にか消える存在だが、この宇宙で確立した物理学に立脚するものなので、「無から有が生まれた」という宇宙の始まり方も、まったく考えられないわけではない。もしかしたら、この宇宙は仮想粒子と同じように生まれたのかもしれない。

また、**時間が生まれる前**は、人間がその中で進化し、当然のように考えている因果の秩序も存在していなかった。つまり、宇宙が何かほかのものから生まれたと考えなくてはならない物理法則も存在していなかったのである。

さらに言えば、私たち人間は本当のところ「無」とは何かを知らない。知っているのは、頭の中で考え出した「無」だけだ。

「無」というのは何かがないことを意味する便利な表現にすぎない。ビールグラスの中には「何もない」とか、財布の中にはもう一杯ビールを買うためのお金が「まったくない」といった文脈でなら、「無」の概念は問題なく有効だが、物理学的に厳密な意味では、宇宙のどこにも——どんなに深く探究しても——「**絶対的な無**」は存在しない。

宇宙のどこを探しても、恒星や惑星やガスのようなものがあるか、少なくともかすかな放射線が飛んでいる。財布にしても、お金はなくてもクレジットカードや古いチケットの半券があるかもしれない。それさえなくても、空気や埃(ほこり)はあるはずだ。

本当に何もない人工的空間は、科学者にもつくることができない。「**ゼロエネルギー真空**」や、放射線も飛んでいない空洞をつくることは物理的に不可能なのだ。

では、実際のところ「無」はどこにあるのか？　どうやらそれは、私たちが発明した実態のない概念のようだ。

「無」というのは、この宇宙では物理的にあり得ない状態なので、ビッグバン以前に「無」(人間が発明した概念であり、人工的に再現できない状態)が存在していたと考えるのは、大胆な仮定であり、論理の飛躍だ。と言うか、まったくの間違いだ。

「無」という概念が、この宇宙以外のどこかに存在するとか、時間さえまだ存在していなかったビッグバン以前に存在していたなどということを、期待できる理由は何もない。「無から何かが生まれた」というのは、科学的にも論理的にも正当化できない大胆な仮説に基づく言説なのである。

現在と同じルールが働いていない原始の宇宙の仕組みを理解するためには、私たちはこの宇宙で有効だと信じている基本的な考えのいくつかを捨てる必要がある。私たち霊長類の脳は、生存と進化に必要のない概念を理解することができない。人間の脳はそのようにはできていない。トースターでメールを送れないのと同じことだ。

答えを「わけがわからない」と思うかもしれない

ビッグバンの謎を考えると、実存レベルでの収まりの悪さや不安を感じることがある。そんなときは次のことを思い起こすといいだろう。

1 たかだか60年前まで、私たちはビッグバンが起こったことさえ認めていなかった。そこから今日までの理解の深まりを思えば、今後100年あるいは1000年の科学の進歩によって、宇宙の始まりについて大きな発見があってもおかしくない。

2 発見した答えが、私たち霊長類の脳になじみがなく、この宇宙の基礎物理学においても異質だったら、たとえだれかが答えを見つけても、多くの人にとってはわけがわからないかもしれない。感覚的にも哲学的にも受け入れにくいかもしれないし、意味の探求において期待したような手応えがないかもしれない。[3]私たちは宇宙の始まりを知りたがっているが、間違った場所に安心を求めようとしているのかもしれない。人間が地球に存在している意味を知りたければ、過去ではなく現在に目を向けるべきだ。あるいは、未来に向けてストーリーをどう進めるかを考えるべきだ。

私たちは、少なくとも自分たちの運命をある程度コントロールできる。この先も人類が生きつづけ、科学やテクノロジーが進歩しつづけ、社会の複雑さが増していくなら、私たちは１０００年、１００万年、10億年後のストーリーに、どれほどの影響をおよぼせるだろう。

幼少期の記憶にこだわっていても、生きる意味を見出すことはできない。なぜ自分は母の胎内に宿ったのかと考えたところで、哲学的思索の手応えも実存的な意味の確証も得られない。それを得るには、いま与えられている時間を善く生きるしかない。

宇宙創成の瞬間から学ぶべきことがあるとするなら、ごく些細なことが宇宙の構造を大きく変える可能性があるという事実である。

星、銀河、複雑さ

CHAPTER 2

火の球から次々と
「星」が生まれる

STARS, GALAXIES
AND COMPLEXITY

水素とヘリウムの最初の原子が雲の中に吸い込まれた。

雲は稠密（ちゅうみつ）になり、原子が融合した。

核融合が巨大な爆発を引き起こし、最初の星を誕生させた。

星は水素とヘリウムを融合して、炭素、窒素、酸素、そして26番目の元素である鉄までをつくり出した。

星が超新星爆発を起こし、金、銀、ウランなどの重い元素を生み出した。

自然界に存在する92種類の元素がすべて、宇宙に投げ出された〝水素爆弾〟によって生み出された。

——

ビッグバン直後、「最初の物質」が生まれた

前章で見たように、ビッグバンから10のマイナス43乗秒後、宇宙は量子サイズからグレープフルーツ大まで急速に膨張した。その速度で膨張しつづけたら、グレープフルーツは138億年どころか、1秒も経たないうちに現在の宇宙のサイズになっていただろう。

グレープフルーツになるまでの一瞬のあいだに、エネルギーの散らばり具合にわずかな不均衡が生じた。宇宙のグレープフルーツにはエネルギーがほとんど均等に分散していたが、その中のあちこちで、ほんの少し周囲より多くエネルギーが集まっている点が生じたのだ。

これらの小さな点から、恒星や銀河、惑星、そして私たちの歴史を紡(つむ)ぎ出すあらゆる複雑さが誕生した。この不均衡がなければ、宇宙の複雑さは死産に終わり、宇宙の歴史ははるかに早く幕を閉じていただろう。

これらの点が持っていたエネルギーが凝集して、原子より小さい**亜原子粒子**(あげんしりゅうし)になった。これにより宇宙に最初の物質が出現し、それ以後、宇宙は膨張と冷却を続けることになる。

水素とヘリウムのガスの雲で満たされた宇宙〔31ページ参照〕は、膨張しながら冷えつづけた。やがて温度は絶対零度を少し上回る程度にまで下がり、現在に至っている。

この時点から、宇宙の大部分では単純で冷たい状態が続いた。水素やヘリウムを超えるほど複雑なものを生み出す熱は存在しなくなり、宇宙の大部分は弱い放射線だけで満たされた。熱は、物質とエネルギーの分布にばらつきのある、そこかしこの小さなポケットの中でだけ発生した。

巨大な火の球から「最初の星たち」が現れた

永劫（えいごう）とも思える時の中で膨張しつづける宇宙には、水素とヘリウムの巨大な雲だけが漂っていた。宇宙はそれ以外ほとんど何もない陰気な場所だった。退屈で動きがなく、変化も歴史もなかった。

ビッグバン後、5000万年から1億年が経過するあいだに（ほぼティラノサウルスの時代から現在までの時間に相当する）、水素とヘリウムのガスが重力によって凝集して、**高密度のガス雲**が形成された。ガス雲の中心部の圧力がどんどん高くなると、水素原子がぶつかり合って原子核が融合した。原子と原子を引き離そうとする核の反発力を、圧力が抑

ビッグバン直後から現在までの宇宙

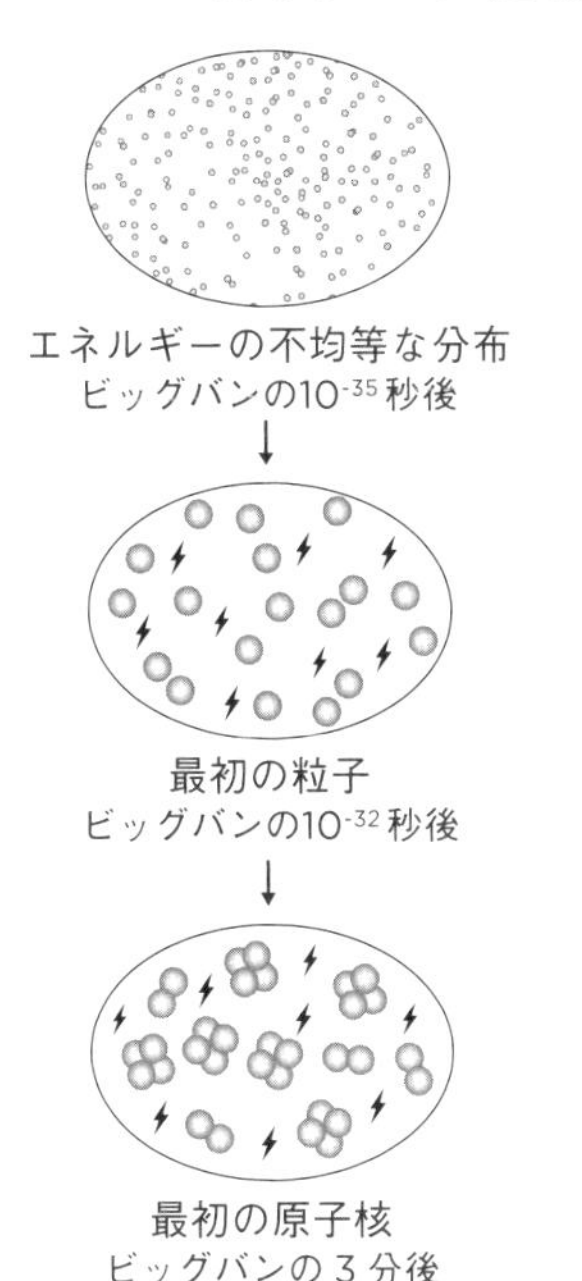

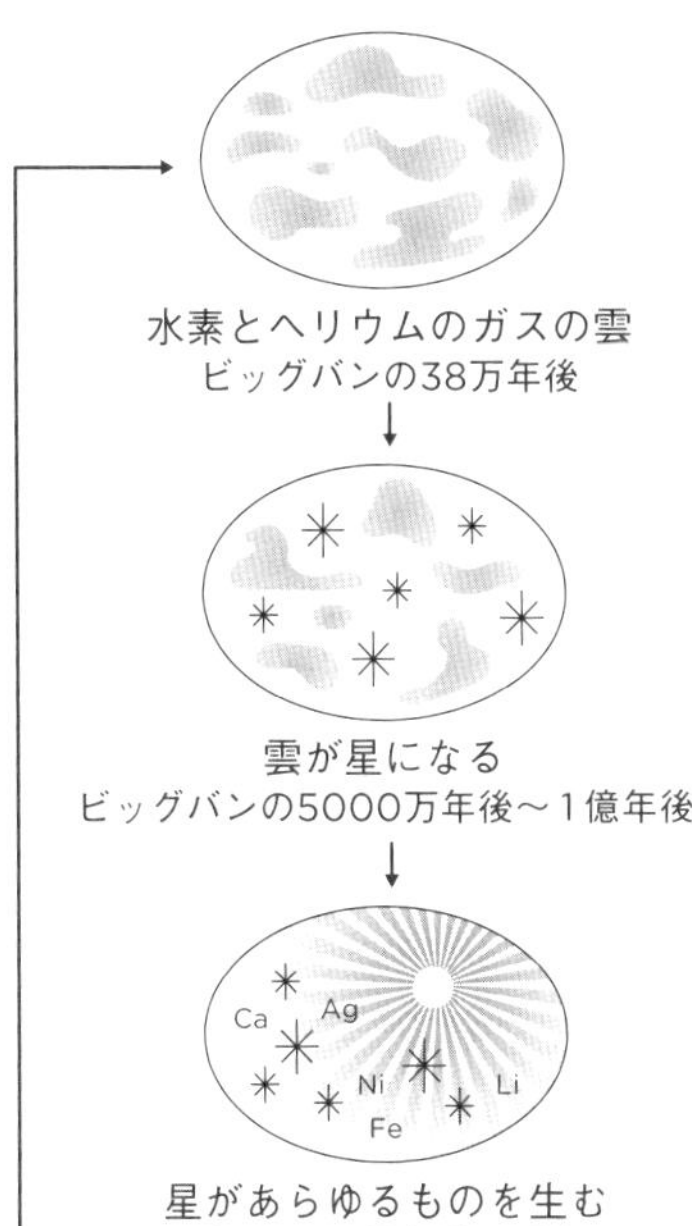

え込んだのだ。

この核融合（水素爆弾を爆発させるのと同じプロセス）が爆発的なエネルギーを生み、ガス雲を突如、**巨大な火の玉**に変えた。このときに生まれたのが最初の**星**（恒星）たちだ。この核融合はガスがあるかぎり続き、星が生まれつづけた。

星の中心部で起こる核融合は、最低でも1000万ケルビン（暑い夏の日の約2万5000倍の温度）に達した。ビッグバン後の最初の3分間以来、はじめていくつかの新しい元素が生まれた。

天の川銀河

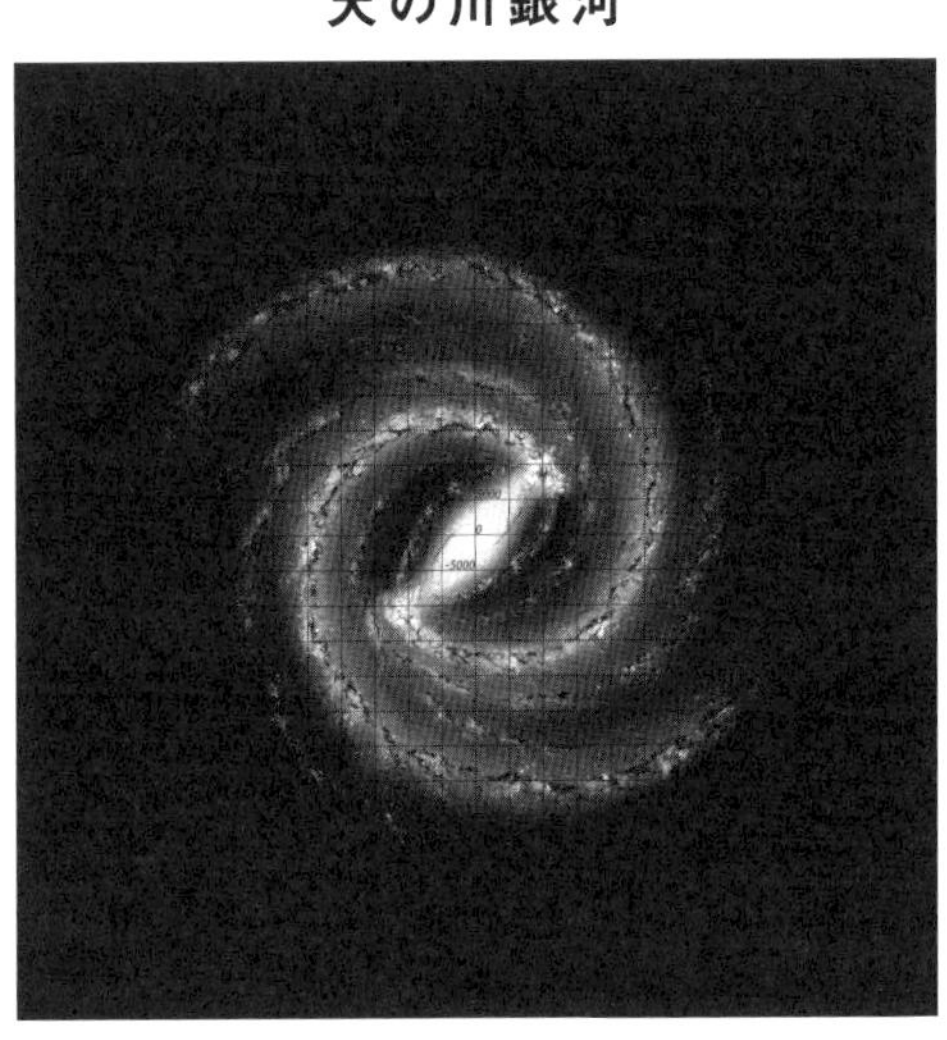

この核融合で、宇宙全体に何十億もの星が誕生した。これら**第一世代の星**は、近くに大量のガスがあったために巨大で、質量は太陽の約100倍から1000倍にも達したが、その巨大さのせいで、数百万年を超えて存在しつづけることができなかった。

第一世代の星が爆発すると、飛び散った破片が集まって**第二世代の星**が生まれた。第一世代の星より小さいが、数十億年の寿命があった。

引力によってこれらの星が引き寄せられ、30光年~300光年ほどの大きさの星団がいくつも形成された。これらの星団は合体して、さらに大きい複数の星団になった。

この合体は137億年前から100億年前まで続き、私たちがいる宇宙の一角では**天の川銀河**が誕生した。天の川銀河の大きさはおよそ10万光年で、約2000億から4000億個の恒星がある。

宇宙の全域で同じような合体が起こり、観測可能な宇宙だけで推定4000億の銀河が形成された。

渦巻く銀河、死にゆく銀河、異形の銀河

130億年前から100億年前にかけて、さまざまな種類の銀河が誕生した。

渦巻銀河（たとえば私たちが住む天の川銀河）は、観測可能な宇宙に存在する約4000億の銀河の60％を占める。星の形成のほとんどは渦巻銀河で起こっている。膨らんでいる中心部は星が集中し、超新星爆発が頻繁に起きるので、生命の誕生には向いていない。この銀河で生命が誕生できるほど星と星のあいだに距離があるのは、中心から遠く離れた場所だけで、太陽系はそのような位置にある。

レンズ状銀河（たとえばソンブレロ銀河）にも同じような膨らみがあるが、渦巻銀河のような渦状の構造（渦状腕〔かじょうわん〕）はない。宇宙の銀河の約15％を占めるが、星形成はほとんど起こらない。

楕円銀河（たとえばヘルクレス座銀河団）は中心部に膨らみがなく、星はもっと均等に分布している。星形成がほとんど起こらない〝死にゆく〟銀河で、全銀河の5％を占める。

銀河の種類

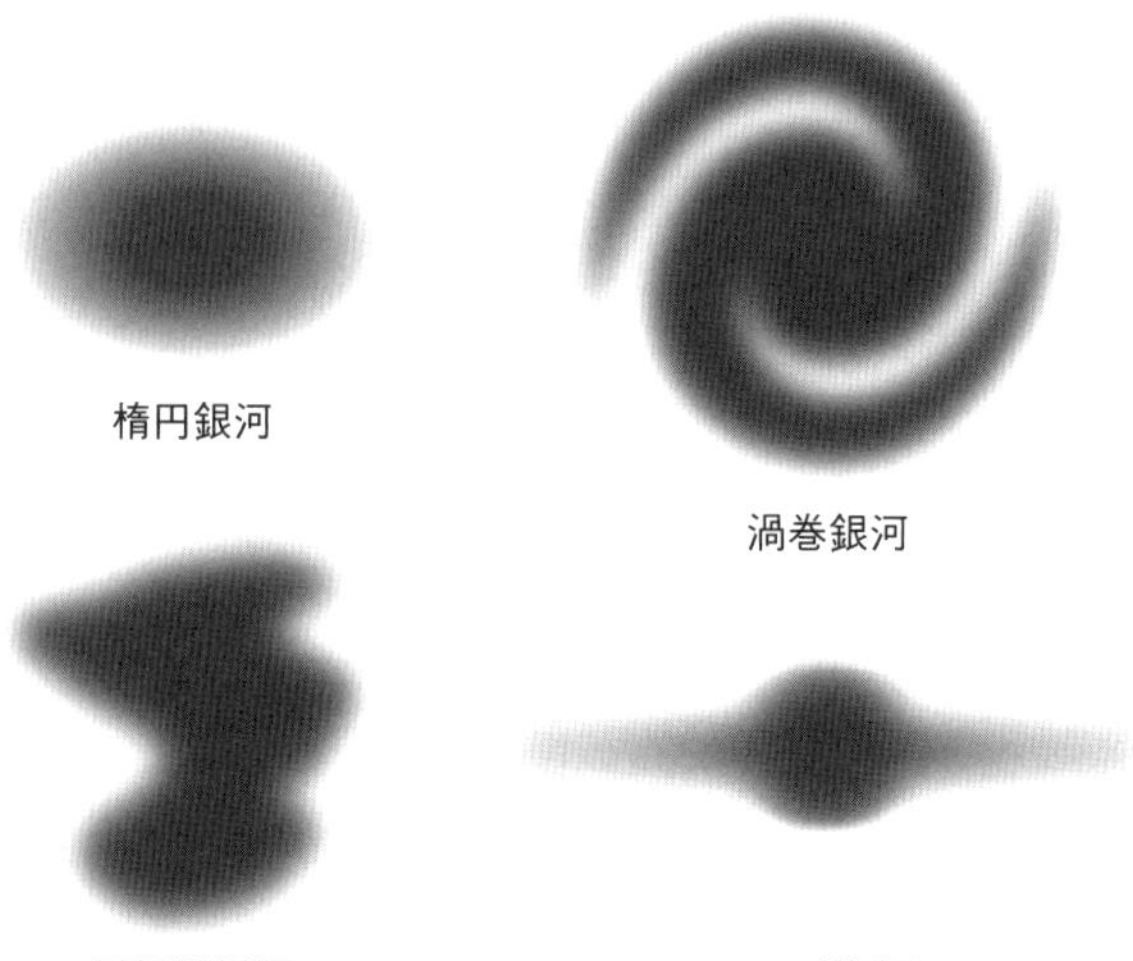

不規則銀河は、上記のいずれにも分類できない異形の銀河の総称で、全銀河の20%を占める。小さいものがほとんどで、形成過程でほかの銀河の引力の影響を受けて形が崩れているのがふつうだ。形状の理由が説明できないものもある。

観測可能な宇宙に存在する銀河の数については4000億というのが定説だが、最近の研究では、1兆から10兆という可能性も示唆されている。

いずれにせよかなり大きな数なので、複雑な生命が宇宙のどこかで進化を遂げている可能性はある。一つの銀河には、数百万、数十億、あるいは数兆もの星が存在するので、進化のサイコロも相当な回数振られていることになる。

星から星へと引き継がれるもの
——星の三世代

星(恒星)の寿命はその質量で決まる。星が内部に抱えこんだ燃料が燃え尽きるまでの速度が、質量で決まるからだ。太陽の8倍以上の質量がある星は超新星爆発を起こすが、それ以下の星は爆発しない。したがって爆発によって重い元素を生み出すこともなく死滅する。

もっとも重い星で数百万年、少し軽い星は数億年、さらに軽い星は数十億年、そしてもっとも軽くもっとも燃焼の遅い星は、1000億年から数兆年、燃えつづける可能性がある。

ビッグバン後、最初に形成された**第一世代の星**は巨大で、数十億年前に爆発してしまった。

その爆発の残骸から生まれた**第二世代の星**には、第一世代の星の中でつくられた重い元素が含まれている。第二世代の星も、大半は過去130億年のあいだに消滅したが、それでもまだ多くの星が宇宙で——地球のある天の川銀河でも——発見されている。

第三世代の星は、生まれてからまだ数十億年しか経っていない。そこには先行する二つの世代の星が生み出したさまざまな重い元素が存在する。また、近くに塵（ちり）の輪を形成する元素が豊富にあることで、軌道上に惑星が生まれやすい。そのため、第三世代の星（太陽はこの世代に属する）は複雑な変化を遂げる可能性が高い。

星はこうして消えていく

太陽は**黄色矮星**（おうしょくわいせい）と呼ばれる恒星だ。黄色矮星の寿命は40億年から150億年で、宇宙に存在する星の10％を占める。それより少し小さい星は**オレンジ矮星**と呼ばれ、寿命は150億年から300億年、数は星全体の10％を占める。

赤色矮星（せきしょく）はもっとも小さい星で（質量は太陽の約5～50％）、宇宙に存在する星の70％を占める。寿命は大きさや燃焼の速度によって異なるが、数千億年から数兆年生きつづけることができる。

どの矮星も超新星爆発を起こすことはなく、ゆっくりと燃え尽きて消えていく。

太陽のような黄色矮星は、水素とヘリウムの燃料をすべて使い切ると、中心部にある重い元素を徐々に燃やしはじめ、湿地で息絶えた牛の死骸のように膨張して**赤色巨星**になる。

その後さらに10億年ほど経つと、赤色巨星は収縮して**白色矮星**(はくしょく)となる。これは中心部での原子の融合が止まった星の残骸、人体になぞらえれば骸骨のようなものだ。白色矮星の寿命は数百万年で、最後は完全に消滅する。赤色巨星と白色矮星を合わせると、宇宙に存在する星の約5%を占める。

星の残り5%は、数は少ないが、宇宙の複雑さという点では重要な意味がある**超巨星**だ。数百万年から数億年しか燃えず(質量によって異なる)、燃料を使い果たすと巨大な構造が崩壊して超新星爆発を起こす。超巨星は元素周期表の鉄(26番目)までのすべての原子を融合させることができる。

鉄より重い元素を融合できるほど熱くはないが、超新星爆発で生じる高温によって、金、銀、ウランなどの重元素が生まれる。宇宙に自然に存在する92種類の元素は、超新星爆発によって生み出されたものだ。金などの元素が稀少なのは、星全体の5%以下しかない超巨星の超新星爆発だけでしか生まれないからである。

超巨星が超新星爆発を起こすと、そのあとに**中性子星**という特殊な天体が残る。非常に密度が高くて重いので、あまり明るく燃えない。中性子星同士がぶつかると、さらに重い元素が生まれる。中性子星は直径数十キロメートルの小さな星で、その小さな空間に全質量〔太陽の質量の約1・4〜2倍〕が押し込まれているために壊れやすく、**ブラックホール**になりやすい。

ブラックホールは、名前から受ける印象と異なり、本質的には物質の塊だ。あまりにも質量が大きいために、自らを自らの中に吸収してしまうほどの重力がある。その重力によって近くの物質を呑み込むので、周囲の空間を歪めてしまう。

たんなる物質の塊だが、ブラックホールは周囲の空間や時間を歪め、その性質を変えてしまうという仮説がある。たとえば物理法則が崩れたり、時間の流れが一貫性を失ったり、あるいは異次元や別の宇宙につながったりする可能性が論じられている。

「元素」は星から生まれた

現在、元素周期表には**118の元素**がある。宇宙に自然に存在する元素は92あるが、自然に生成される高次元素はどれも、生まれる端（はし）から低次元素に変化してしまう。高次元素は人間の研究室でもつくられており、最近では2002年にロシアとアメリカのチームによって118番の**オガネソン**がつくられた。

星は生きているあいだ、複雑さを増し加えていく。星が死ぬと、抱え込んでいた元素をふたたび宇宙に放出する。その元素の無数の組み合わせから生まれる化学物質が、さらなる複雑さを生む部品になる。現在、そのような化学物質は6000万から1億種類あると言われている。

化学物質の根幹にあるのが、元素が組み合わさった「**分子**」という高次の構造だ。たとえば、H_2O（水素原子2個と酸素原子1個）という分子は水になり、SiO_2（ケイ素原子1個と酸素原子2個）という分子は地球上でもっともよく見かける鉱物である石英だ。

あるいはエチレンC_2H_4（炭素原子2個と水素原子4個）のような人工的な化学構造をつくって、ポリエチレン（世界でもっともありふれたプラスチック）をつくることもできる。

もっと複雑な化学物質もある。たとえば、人間の筋肉に弾力性を与える有機タンパク質のタイチンは、$C_{169723}H_{270464}N_{45688}O_{52243}S_{912}$という化学式で表される複雑で巨大な構造をしている。この化学物質の正式名称を文字で書き表すと約19万文字、声に出して読み上げると3〜4時間かかる。元素が分子になると計り知れない複雑さが生まれることを感じさせてくれる物質だ。遺伝形質をコード化し、有機物の自己複製、進化、生存を可能にするDNAの塩基（アデニン、チミン、グアニン、シトシン）の化学式も同様である。

自然に存在する92種類の元素が生まれ出て、それらが結合してさまざまな化学物質が生まれたとき、今日の宇宙にある複雑さをつくり出すのに必要なすべての材料が出揃ったことになる。

だが、複雑さとは何だろう?

私たちは「138億歳」である
——人間は宇宙そのもの

138億年にわたる宇宙の歴史を貫いているのが、**複雑さの増大**というトレンドだ。複雑さの増大が私たち人間を生み、私たちが複雑さを増大させた。ビッグバンののち、物質を形づくる最初の粒子が現れ、ゆっくりと星が形成された。星々からありとあらゆる化学物質が生まれ、地球と地球上の生命が形づくられた。

人間の歴史も複雑さの増大というパターンに貫かれている。**狩猟採集社会**から**農耕社会**、そして**近代社会**へと発展する歴史は、複雑さ増大の歴史でもある。混沌とした歴史を、その始まりから現在に至るまで貫くようなトレンドは、複雑さの増大以外にはない。

物質が織物(タペストリー)のように精密に結び合わされるとき、複雑さが生まれる。

複雑なものは、エネルギーを吸収することで姿かたちや生命を維持する。星には燃料となるガスが、人間には食べ物が、携帯電話にはバッテリーが必要だ。そこに共通する原理は、死を免れるためには**エネルギーの流れ**が必要だということだ。それが宇宙にある複雑な現象すべてを貫く法則である。

物質とエネルギーは、138億年前のビッグバンで、白く熱い小さな点の中に生まれた。いま私たちの周囲にあるすべてのもののすべての材料は、最初からその中にあった。それらが複雑さを増しながら、目を見張るような新しい形に変化しつづけた過程が宇宙の歴史にほかならない。

ビッグバン以後、この宇宙に新たな物質やエネルギーはいっさい付け加えられていない。熱力学第一法則のもとでは、新しいものは何も創造されず、古いものが完全に破壊されることもない。

つまり、私たち人間の体を構成している原子は、宇宙が始まったときすでに何らかのかたちで存在し、それ以来、138億年以上にわたって宇宙の中で進化しつづけてきたということだ。私たちは138億歳なのだ。

私たちが死ねば、私たちの体を構成していた原子は散逸し、ふたたび宇宙の中で変化していく。私たち人間は宇宙であり、その事実を自覚できる特権的な存在として束の間の生にあずかっている存在なのだ。私たちが夜空を見上げるとき、宇宙そのものである私たちは鏡に映った自分を眺めているのである。

「エネルギーの流れ」がすべてを維持している

複雑さとは、エネルギーの流れによって創造され維持される秩序立った構造である。水素原子は1個の陽子と1個の電子から成る構造だ。水の分子は2個の水素原子と1個の酸素原子から成る構造だ。人間の脳も複雑な構造の一つであり、人間の脳が発明したトースターも複雑な構造の一つだ。80億の人間が物や情報を交換する網の目は、もっとも複雑な構造といって間違いない。

構造に含まれる要素が多様で、要素間の関係が入り組むほど、構造の複雑さは増す。**星**はたくさんの水素原子を持っているが、ただ大きくて無秩序な塊にすぎず、とくに複雑なわけではない。それに対して**イヌ**は、化学物質、DNA、肝細胞、脳細胞、血管、呼吸・循環・神経系が入り組んだ複雑な構造だ。

太陽の中核にある水素原子の一部をごそっと表面に移動させても、太陽は何事もなかったかのように動きつづける。だがイヌの脳細胞を肝細胞に置き換えたら、もうトリを追い

構造／システムとその維持に必要なエネルギーフロー

構造／システム	エネルギーフロー (erg/g/s)
太陽	2
超新星爆発直前の超巨星	120
単細胞生物	900
変温爬虫類	3,000
魚類と両生類	4,000
多細胞植物	5,000～10,000
恒温哺乳類（平均）	20,000
アウストラロピテクス（初期の人類）	22,000
狩猟採集社会（アフリカ）	40,000
農業国家	100,000
19世紀の織機	100,000
19世紀の産業社会	500,000
T型フォード（1910年頃）	1,000,000
電気掃除機（現在）	1,800,000
現代社会	2,000,000
平均的な飛行機	10,000,000
ジェットエンジン（F-117 ナイトホーク）	50,000,000

※erg（エルグ）はエネルギー、g（グラム）は質量、s（秒）は時間。
参照：Eric J. Chaisson, *Cosmic Evolution: The Rise of Complexity in Nature*. Harvard University Press, 2001ほか。

かけることはない。

どんな形態であれ複雑な構造をつくるためには、部品を溶接して車のエンジンをつくるのと同じで、何らかのエネルギーが必要だ。複雑さを維持するのにもエネルギーが要る。飢え死にしないためには食べなくてはならない。複雑さを増大させるのにもエネルギーが必要だ。

エネルギーの流入が止まればすべての構造は崩壊し、徐々に死滅する。走っている自動車は止まり、植物は枯れ、文明は崩壊して廃墟と化す。

構造の複雑さを、そこに流れる**エネルギーの密度**で測れるのはこのためである。複雑な構造ほど、維持するのに必要なエネルギー密度は高くなる。宇宙に存在する構造のうち、もっとも単純でもっとも古い星は、単位重量当たりそれほど多くのエネルギーを必要としない。

だが、何十億年もの生物学的進化によって生まれた人間や文化的発展から生まれた人間社会は、高密度のエネルギーを吸収することで生きつづけている。

すべての歴史をつらぬくテーマ

ビッグバンの直後、空間と時間にわずかな波紋が生じ（**量子ゆらぎ**）、宇宙空間のエネルギー分布にばらつきが生じた。このばらつきによってエネルギーが凝集し、最初の物質を生む粒子が生まれた。

その証拠が、ビッグバンの38万年後に生じた宇宙マイクロ波背景放射という〝スナップショット〟に記録されている。このエネルギーの不均等な分布がなければ、複雑さは存在しなかっただろう。

複雑さが存在するためには、それを生じさせ維持するためのエネルギーの流れが必要だ。エネルギーは、多くある場所から少ししかない場所へと流れる。

宇宙が始まったとき、エネルギーがまったく均等に分布していたら、エネルギーは流れず、何も起こらず、何も生まれなかった。そこに複雑さはなく、現れてから消滅するまで、ただ放射線が無秩序に飛び交うだけの宇宙が広がったことだろう。もちろん、歴史も存在しない。

エネルギーが流れる方向

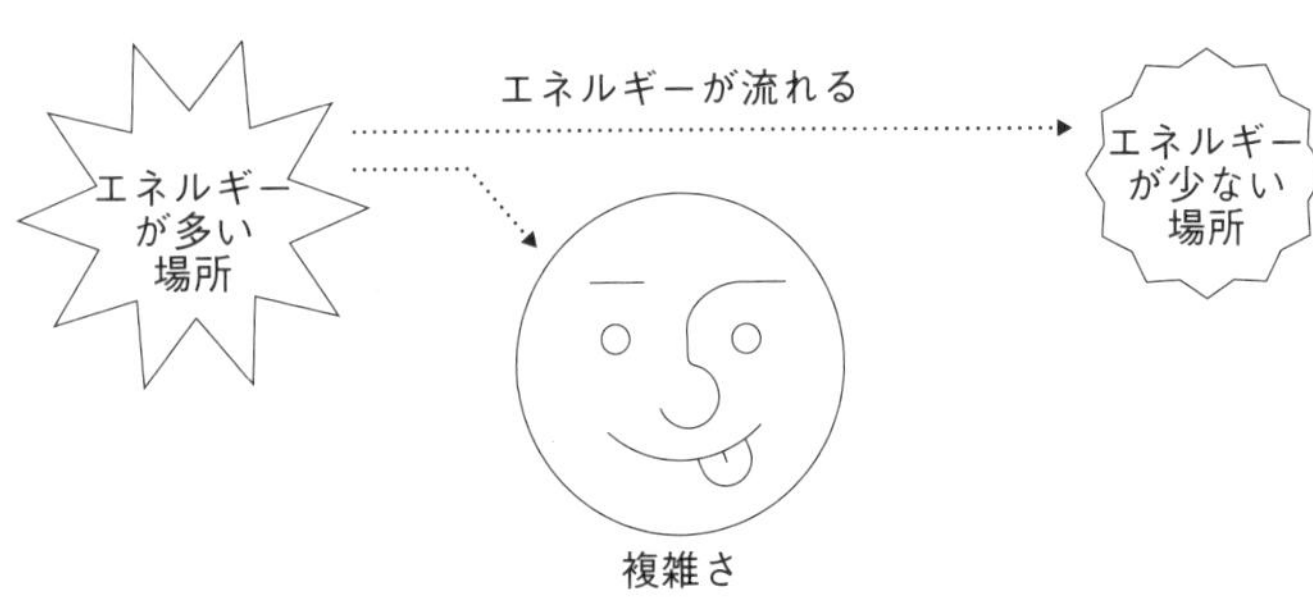

実際には、不均等に分布した物質とエネルギーの最初の塊から第一世代の星が生まれ、その星から、周期表にあるすべての自然元素が生まれ、元素が集まって分子となり、惑星が生まれた。

惑星の一つである地球では、さらに多くの分子が集まって**生命**が誕生した。

そのような生命の一部である人間が、意識を持ちはじめ、新しいものを生み出し、それを継続的に改良していく能力を獲得したのである。

星から生命、生命からテクノロジーへと、複雑さを生み、維持し、増大させるには、多くのエネルギーの流れが必要だった。

地球がある宇宙の片隅では、過去138億年間、複雑さが高まりつづけた。それが宇宙と人間のすべての歴史を貫くテーマだ。

複雑さを維持するにはエネルギーが要る

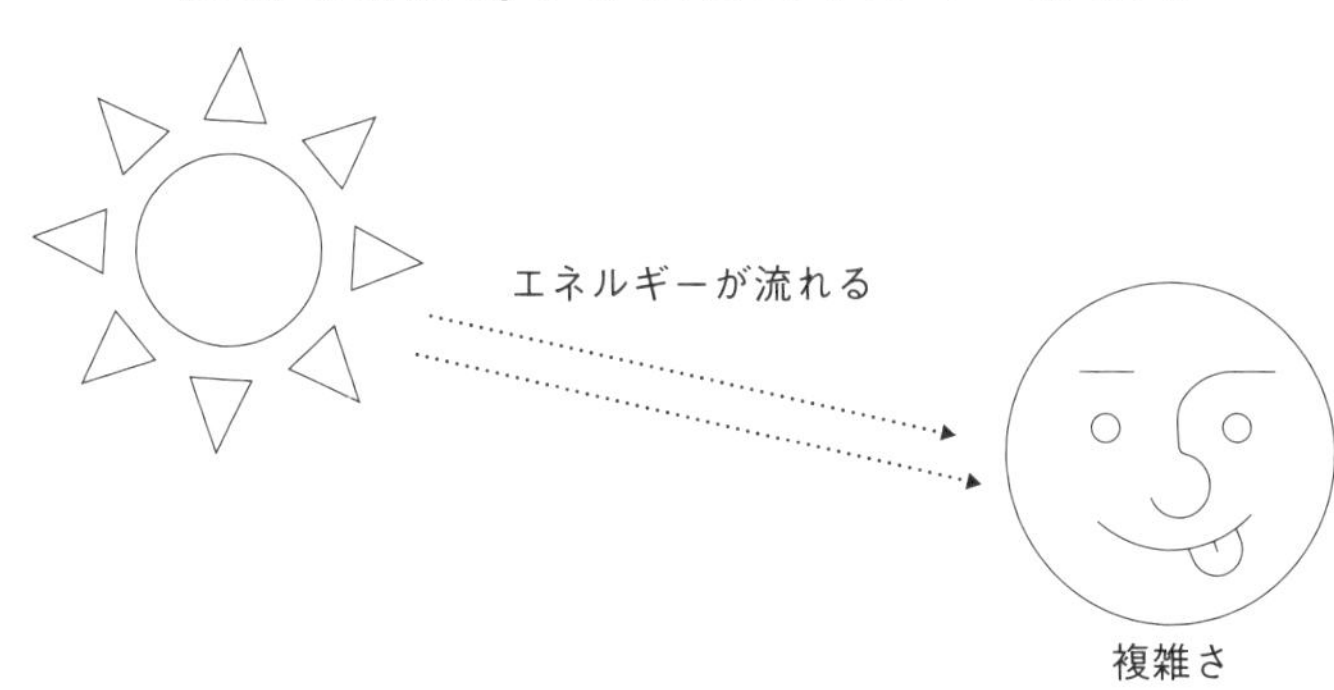

ビッグバンで宇宙のエネルギー分布に不均等が生じ、その後138億年間、均等な分布に向かうエネルギーの流れが生まれ、そこからあらゆる不思議が生まれたのだ。

世界を生んだ法則が、世界を終わらせる

しかし、複雑さを増していく歴史には運命の皮肉が潜んでいる。

星のエネルギーが植物を生じさせ、動物を養い、人間の脳を進化させ、社会の網の目にエネルギーを供給することができたのは、宇宙に**熱力学第二法則**が成立しているおかげだ。

それは、エネルギーはそれ自体の分布を均等にする方向に流れる、という法則だ。

つまり、エネルギーは多くあるところから少ないところへ、一方向にしか流れない。

それは短期的には複雑さを高めるが、最終的にエネルギーの分布が均等になったところで流れが止まり、複雑さは消滅してしまう。

熱力学第二法則は、生命を生み出す原理だが、それと引き換えに最終的に生命を奪う原理でもある。死の定めからしか生命は生まれない。哲学めくが、それが宇宙の現実なのである。

宇宙の複雑さは、エネルギーの分布にばらつきのある片隅だけで高まりつづけてきた。それ以外の場所は――宇宙の約99・9999999999%は――すでに死んでおり、いま以上の複雑さを生み出すことはない。そのことからも、宇宙の最初の一瞬にエネルギーの分布にばらつきがあったことが、人間の誕生にとってどんなに大きな意味があったかがわかる。

複雑なものほどエネルギーの流れを多く必要とし、速くエネルギーを使い果たす。

1匹のイヌが1日に必要とするエネルギーの量は、バクテリアの小さなコロニーよりも多い。1台の自動車は、何百万年もかけて地下に堆積した有機物のエネルギーを燃料に変えなければ走れないほど、大量のエネルギーを必要とする。イヌは糞をし、車は排気ガスを吐き出すが、その一部はこの先二度と使うことができない。

宇宙の熱的死

複雑さの消滅

やがて宇宙は完全にエネルギーを使い果たす。何兆年も何十兆年ものちに、そのときが来る。

ある意味、複雑さの増大というのは、エネルギーの分布が均等な状態に戻ろうとする長い歴史の物語の前段階にすぎない。

最終的に宇宙は、弱い放射線が飛び交うだけの世界になる。歴史も、変化も、複雑さもない、**熱的死**と呼ばれる状態で最期を迎える。

複雑さの消滅は私たちの歴史を貫く脅威であり、歴史が終わりに近づくにつれて、私たちは熱的死の脅威に直面することになる。だが、とりあえずいまは、私たちを生んだ根本原理が私たちを消滅させるかもしれない、ということだけ意識にとどめておこう。熱力学第二法則は世界を創造する法則であり、同時に破壊する法則でもあるということだ。

熱力学第二法則を克服できる可能性があるのは、何百万年もかけて科学が進歩した先にある、宇宙の基本法則さえ操れるほど複雑な超文明だけである。

地球誕生

CHAPTER 3

どろどろ燃える
灼熱の玉

ORIGIN OF THE EARTH

太陽が形成され、太陽系にある全物質の99％を貪欲に呑み込んだ。

残りの1％は、太陽のまわりに1光年以上の大きさの塵の輪を形成した。

それぞれの軌道の上で、塵は惑星、準惑星、小惑星、彗星に姿を変えた。

そのような軌道の一つで、恐ろしいほど多くの衝突を繰り返しながら地球が形成されていった。

地球は冷却され、分化が生じ、衝突によって最初の海が形成された。

その海の中で有機化合物の長い鎖が形成されはじめた。

135億年前、「天の川銀河」が生まれた

地球がある**天の川銀河**は、第一世代の巨星群として、およそ**135億年前**に姿を現した。そして自ら回転しはじめ、中央部がふくらんだ扁平なディスク状に広がった。近くの銀河を自らの重力圏に引き込み、それらを吸収しながら拡大していった。最後に隣の銀河と合体したのは100億年前だ。現在、天の川銀河は10万光年の大きさで、2000億～4000億の星がある。

第一世代の星（恒星）は、天の川銀河が形成されてから数百万年のうちに、巨大な超新星爆発を起こして完全に死滅した。もともと宇宙に広がっていた水素とヘリウム、そして超新星爆発で生まれたそれらより重い元素は、重力によって集められ、次世代の星を形成した。これら第二世代の星はその後、数十億年のあいだ輝きつづけた。

そして**45億6700万年前**、現在の太陽系から1光年離れた場所で、天の川銀河の渦状(かじょう)腕(わん)にある第二世代の星の一つが超新星爆発を起こした。この爆発で、水素からウランまでの92種類の天然元素がこの銀河に散らばった。この爆発が引き金となって、高温のガス雲から第三世代の星の形成が始まった。このとき誕生したのが**太陽**だ。

太陽の巨大な重力によって、太陽系の中にある物質のほとんどが太陽に吸い込まれた。残った1%の物質が太陽のまわりに小さな塵から成る円盤を形成し、そのプロセスからこぼれ落ちたものが1光年の距離で四方八方に広がった。

この初期の太陽系の塵には、92種類の元素がすべて含まれており、真空の宇宙空間で短時間のうちに60種類の化学物質を構成した。太陽での最初の核融合により、大部分の水素とヘリウムが外太陽系に吹き出された。このため、太陽に近い**地球型惑星**（水星、金星、地球、火星）は岩石惑星で、遠い**木星型惑星**（木星、土星、天王星、海王星）は巨大ガス惑星である。

太陽をめぐる塵がやがて惑星になった

——太陽系の惑星たち

太陽から飛び散った塵は円盤状に広がり、太陽のまわりを回りはじめた。天の川銀河の渦状腕が中心部のまわりを回りはじめたのと同じだ。

これが地球が太陽のまわりを回る軌道の起源である。塵が太陽のまわりを回りはじめると、軌道上の物質が静電気の力でゆっくり結合しはじめた。いま惑星が存在する軌道のす

太陽系

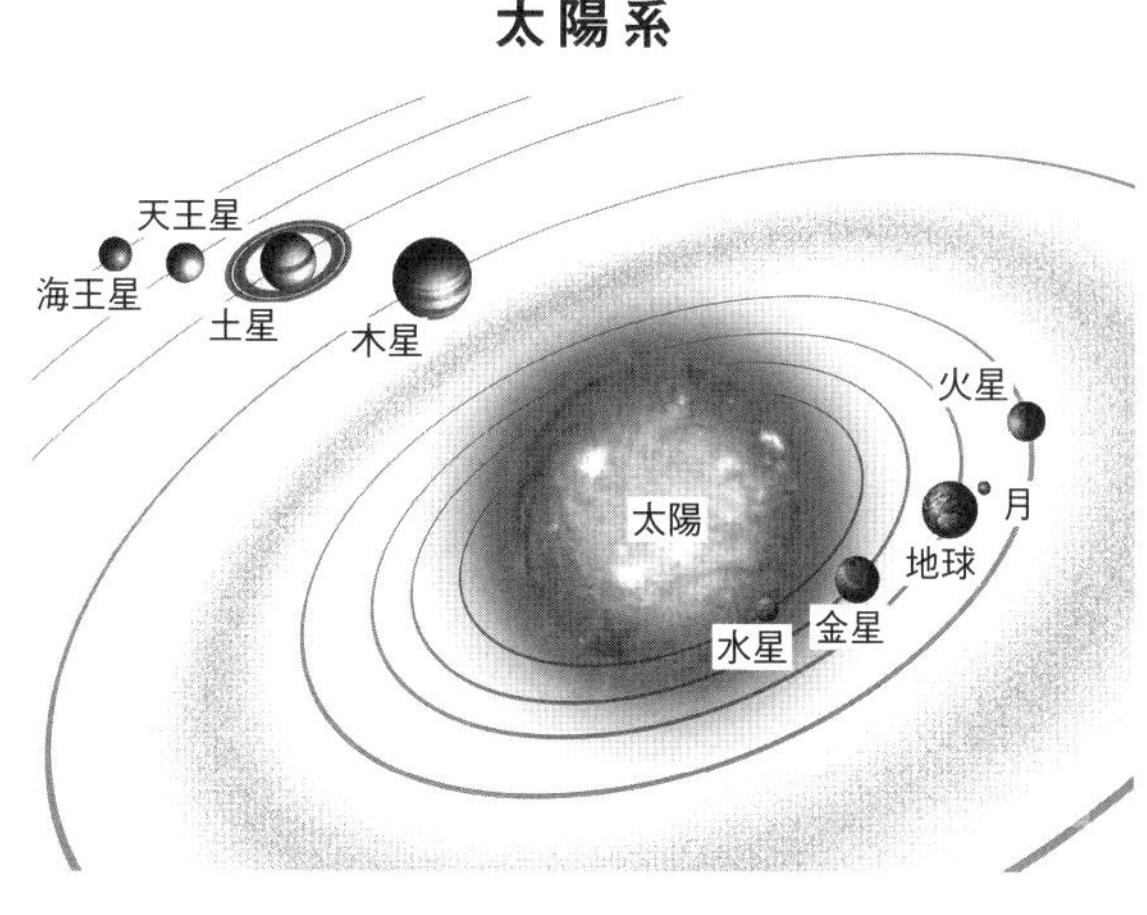

べてで、塵が石の大きさになり、岩になり、山の大きさになった。

およそ**1万5000年間**で、太陽系には直径10キロメートルを超える何百万個もの天体（宇宙に存在する岩石、ガス、塵などが重力で束縛されて凝縮した物体）が生まれ、やがてそれらが激しく衝突しはじめた。衝突した天体は、衝突の熱で合体した。

そうして**約1000万年後**、太陽系には月や火星とほぼ同じ大きさの原始惑星が30個ほど生まれた。

数百万年後、それらの原始惑星も激しく衝突し、太陽系の軌道上に8個の惑星が形成された（木星の付近では、木星の引力によって小惑星の衝突が起こらず、火星と木星の公転軌道のあいだに、惑星になり損ねた天体が集中する小惑星帯が形成された）。

1 **水星**は光の速さで太陽から3分の距離にあり、

直径は地球の38％、質量は地球の5・5％である。昼夜の温度差が激しく、夜はマイナス170℃、昼は427℃である。

2 **金星**は光の速さで太陽から6分の距離にあり、大きさと質量は地球とほぼ同じである。二酸化炭素の厚い大気が太陽からの熱を大量に取り込み、地表の温度が鉛を溶かすほど高温だが、そうでなければ生命が生まれていたかもしれない。

3 **地球**は光の速さで太陽から8分の距離にある。生命が存在できる範囲の距離だ。当然ながら、私たちは地球が生命の存在に適した環境であることを知っている（地球についいては次節で述べる）。

4 **火星**は光の速さで太陽から12・5分の距離にあり、直径は地球の半分、質量は地球の10％である。そのため大気の厚みは地球の約1％しかなく、水を液体のまま維持することができない。火星の水のほとんどは氷のかたちで閉じ込められ、それが生命の存在を難しくしている。

5 小惑星帯を越えた先にある**木星**は、光の速さで太陽から43分の距離にあり、99％が水素とヘリウムでできている巨大ガス惑星だ。直径は地球の11倍で、質量は地球の約320倍。気象パターンは過酷で、生命体らしきものの存在を許さない。厚い雲に覆われた地表は、大量の水素ガスが圧縮された固体水素で構成されている可能性がある。木星の衛星の中には生命を育んでいるものがあるかもしれない。理論的には第二衛星のエウロパにその可能性があるが、確認の術(すべ)はなく謎に包まれている。

6 **土星**は光の速さで太陽から78分の距離にあり、直径は地球の9倍、質量は95倍の巨大ガス惑星である。木星と同様、生命が存在する可能性はあまり高くない。およそ150個の衛星と特徴的な氷と岩のリングがある（木星にもリングはあるが土星と比べればうんと細い）。生命が存在する可能性がもっとも高いのは土星最大の衛星であるタイタンだが、生命が存在するとしても地球上の生命とは異なる進化を遂げているはずだ。気温が非常に低いため水はつねに凍結しており、メタンが液状で存在する。メタンの海で生命が進化していたら、地球の海で進化した生命とはまったく異なる呼吸の仕方をしているはずだ。

7 **天王星**は光の速さで太陽から2・5時間の距離にある。直径は地球の4倍ある。太陽系でもっとも寒い惑星である。恐ろしく速い風が吹いていて、大気の状態と圧力の巨大さは多くの点で他のガス巨星に似ている。高度な複雑性がここで生じた可能性はきわめて低い。

8 **海王星**は光の速さで太陽から4時間の距離にある。太陽からもっとも遠い惑星で、太陽を1周するのに地球の時間で165年かかる。天王星と同じく極低温(きょくていおん)で、大気は水素とヘリウム、中核部はおもに氷と岩石から成る。

9 **冥王星**は、1930年に発見され（当時の望遠鏡で確認できるもっとも遠い天体だった）、太陽系の惑星と見なされていた。光の速さで太陽から5・5時間の距離にある。惑星に分類されたが、ほかの8個の惑星と違って軌道上にほかの天体も存在する。発見から数十年後、冥王星の軌道付近で冥王星よりも大きいエリスなどの準惑星が発見されたため、残念ながら2006年に惑星の分類から外された。「プルート」といえばディズニーの人気キャラクターとして不動の地位にあるが、冥王星（プルート）は惑星の地位を守ることができなかった。

10 **カイパーベルト**は、光の速さで太陽から5〜7時間の距離まで広がる、惑星の破片などの小天体が密集するリング状の領域だ。冥王星、エリス、カロン、アルビオン、ハウメア、マケマケなどの準惑星が含まれる。カイパーベルトには、多くの小惑星のほか、水、アンモニア、メタンなどの単純な凍結球も含まれている。カイパーベルトの総質量は地球の質量の10％を大きくは超えず、大きな惑星を出現させられる材料はなかった。

オールトの雲は、光の速さで太陽から約27時間、つまり1日以上離れたところから始まって球殻状に広がる天体群だ。ずいぶんな距離だが太陽の引力によって保持されており、氷結した微惑星や彗星から成る。太陽系とそれ以外の銀河系の境界にあって、太陽からたっぷり1光年先まで広がっているが、そこからさらに3光年以上先、地球とは4・2光年離れている**プロキシマ・ケンタウリ**〔太陽系にもっとも近い恒星〕の近くまで広がっている可能性もある。

太陽系の外に目をやると、天の川銀河には2000億から4000億個の恒星がある。その中には惑星を持つものも多い。太陽系に近いところだけでも**太陽系外惑星**〔太陽系の外にあって太陽以外の恒星のまわりを公転する惑星〕が数千個発見されている。

天の川銀河の片隅の、そのまた片隅で存在が確認された惑星を確認しただけでこの数なのだから、天の川銀河に存在する惑星の数は計り知れない。地球のように生命を維持できる惑星が3億個あるという推定もある。

宇宙には天の川銀河以外にも4000億から数兆もの銀河系があることを考えると、人間は宇宙の孤児ではなく、地球以外のどこかに生命が存在する確率はきわめて高いと言える。

地球は「灼熱の球」だった
――壮絶な地球誕生

太陽系の初期に生まれた30個ほどの原始惑星は、黙示録さながらの衝突を繰り返しながら、どんどん大きくなっていった。

45億年前、現在の地球の軌道上には二つの惑星があった。何が起こったかは想像に難くない。

地球程度の大きさの惑星と火星程度の大きさの惑星――いまでは**テイア**と呼ばれている――が衝突した。地球サイズの惑星が、衝突で飛び散った破片をほとんど吸収して自らを再形成した。それが現在の**地球**だ。破片の1・2％は吸収されずに地球の軌道上に流れ出し、そこで結合して**月**になった。

そのころの地球は、衝突時の火で非常に高温だったうえに、多くの小惑星との核戦争並みの衝突が続いていた。地球が軌道上の物質を吸収しつづけた結果、その重さがもたらす圧力によって地球のコア（核）に熱が発生した。要するに、45億年前の地球はどろどろに溶けていたのだ。何千度もの高温で燃えて泡立つゼラチン状の球――それが地球だった。

テイア（左）と原始地球の大衝突

そんな液状に溶融した岩石の球の中を物質は比較的自由に移動し、**分化**と呼ばれるプロセスが始まった。

鉄や金のようなもっとも重い部類の元素の多くは、灼熱のスープを通り抜けて地球のコアにまで沈んでいった。鉄は地球のコアに半径3400キロメートルの球をつくり、地球に磁場を生み出した。

冷めていった地殻に残った**重い元素**はごくわずかだった。人間が金を探してもなかなか見つからないのはそのためだ。もし、どろどろのマントルやコアにまで潜ることができたら、地表を覆い尽くすほどの金を見つけることができるだろう。

他方、**軽い元素**は表面に浮き上がり、ケイ素（地球の化学組成の大部分を占める）、アルミニウム、ナトリウム、マグネシウムによって地殻が形成された。さらに軽い炭素、酸素、水素といった元素は、気体として放出され、初期の地球の大気を形成した。

しかし地殻の冷却は、**後期隕石重爆撃期**に小惑星が頻繁に衝突したことでたびたび中断された〔小惑星が頻繁に衝突した時期のうち、太陽系の惑星を誕生させた衝突を前期、惑星形成後の衝突を後期隕石重爆撃期と呼ぶ〕。溶けたスープの表面で地殻が固まりかけると、新たな衝突が薄い層を破壊し、地球はそのつど熱くなった。ようやく40億年前頃に衝突が終わって地殻が凝固した。

この溶岩地獄の中でも、地球に複雑な構造が形成された。テイアが衝突したとき、組み合わせ可能な化学物質はおよそ250種類だったが、分化が完了するころには1500種類以上の化学物質が存在していた。

私たちはスープ鍋の「薄い膜」の上に立っている
——地球の構造

現在でも、地球の**地殻**は、それ以外の部分に比べれば薄くて脆弱だ。高くそびえる山々や深く掘られた坑道を知る私たちは驚くが、それらを含めても地殻は「スープ鍋の上にで

地球の構造（地殻、マントル、コア）

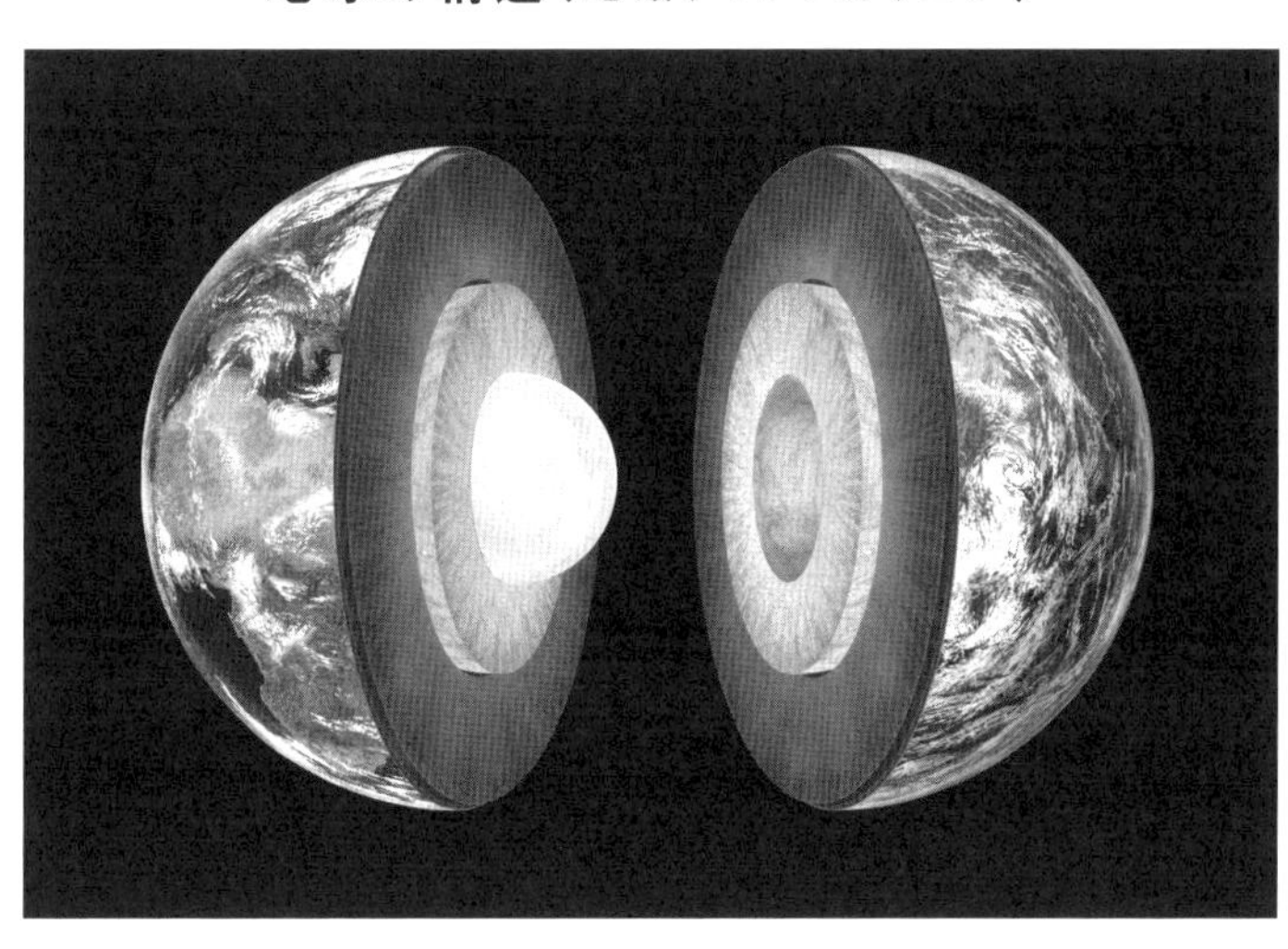

きる皮膜」と呼ぶのがふさわしいほど薄くてもろい。

その厚さは約35キロメートル、海の底では約7キロメートルしかない。そこには軽い元素が多く含まれ、重い元素はほんのわずかしか含まれていない。

地殻の下は**上部マントル**だ。マグマの海で、地下およそ650キロメートルまで続いている。高圧で、温度は1000℃以上あり、いまでもときどき恐ろしい溶岩を火山から吐き出す。

下部マントルは、深さ2900キロメートルまで続いており、岩石が完全に液化しているほどの高温だ。

さらにその下が地球の**コア**だ。外部コアはおもに液状化した鉄とニッケルで、地表からの深さは5200キロメートルにまで達する。その下の内部コアは深さ6370キロメートル、地獄の中心にまで達する。中心部は6700℃の熱で溶けているが、圧力もきわめて高いために固体のようにふるまう。

灼熱の大地と溶岩の海
——地球の「地獄」時代

45億年前から40億年前までの地球は、地質時代の分類では**冥王代**(めいおうだい)に属する。そんな名前が付けられたのは地獄のような状況だったからだ。地表の温度は100℃を超えていたので、液体の水は存在しなかった。場所によっては1500℃にも達し、溶岩の海に覆われていた。

陸地はあっても紙一枚のような厚さで、割れ目から蒸気が噴き出し、軽いガスが分化によって大気に放出された。地表から隆起した火山からも溶岩、煙、灰が噴出した。溶岩が地殻に堆積して乾き、エベレストより高くなった火山もある。

大気に二酸化炭素が多く含まれていたせいで(約80%)、空は恐ろしく赤かった。酸素は無視できるほどわずかしかなく、現在のような**大気圏**が形成されるまでには長い時間がかかった。太陽はまだ若く、地球を照らすほど燃えていなかったので、空は赤いだけでなく不気味なほど暗かった。

およそ45億1000万年前にテイアが地球に衝突したとき、破壊された地殻は大量の溶岩とともに宇宙空間に飛び散った。

火星サイズの惑星が地球に衝突したことの壊滅的な影響は想像を絶する。それがいま起こったら、あらゆる生命の痕跡を消し去り、すべての海を蒸発させてしまうだろう。この衝突は、いまから6600万年前に恐竜を絶滅させた小惑星の衝突の約450倍の激しさだったと推定されている。

月がゆっくりと形成されて空に現れたとき、それは現在よりずっと地球に近く（月は1年に約4センチメートルの速度で地球から遠ざかっている）、上空を通過するときは空の大部分を覆い隠した。そのぶん月がおよぼす潮汐力（ちょうせきりょく）も大きく、高さ数千メートルの大津波が12時間から15時間おきに地球を襲った。現在の津波との違いは、波の高さだけでなく、**溶岩の津波**だったということだ。

地獄のような壮絶さはこれだけではない。5億年間も地球は小天体の激しい爆撃にさらされ、とくに41億年前の後期隕石重爆撃期には深刻な被害を受けた。この時期、数百万個の小惑星が地球に衝突し、かろうじて存在していた薄くてもろい地殻を粉砕した。

地球は、自らの軌道上にあったさまざまな残骸を引き寄せながら、断続的に壊滅的な衝撃を受けた。衝突の衝撃は、ぶつかる小惑星の大きさによって、核兵器並みの威力のものもあれば、恐竜を絶滅させた白亜紀の衝突並みのものもあり、さらにその100倍（文字通り）激しいものもあった。白亜紀の絶滅は6600万年前に一度起こっただけだが、この時期は激しい衝突が何度も地球を襲った。

言うまでもなく、こんな過酷な環境ではどんな生物も滅びてしまう。この時点では、太陽系のどこにも、生命のような複雑なものが存在する余地はなかった。地球上の何かが変わらなければ、いかなる生命も誕生する見込みはなかった。

豪雨が何百万年も降りつづいた
――最初の海

破壊的爆撃による地獄は5億年ほどで落ち着きはじめた。その間（かん）の分化の過程で、水素と酸素が大気中に放出された。何百万もの小惑星の衝突によって、宇宙から大量の氷が地球に持ち込まれたが、氷はたちどころに融け、水蒸気となって大気に吸収された。

やがて地殻は冷え、黒と灰色の**火成岩**（かせいがん）〔マグマが冷えて固まった岩石〕から成る地形となって溶岩の海は消えた。地表は１００℃以下に冷え、さらに下がりつづけたため、大気中に溜まっていた水蒸気が突然、地球に降り注ぎはじめた。

その後、聖書に書かれている大洪水〔創世記にあるノアの箱舟の物語〕と似たことが起こった。ただし豪雨は40日40夜ではなく、何百万年も全地球に降り注いだ。

地殻の溝や低地は水で満たされ地球は海で覆われた。もっとも高い岩礁（がんしょう）だけが水面上に顔を出して大陸となった。その大陸にも湖ができ、川が流れた。こうして40億年前に冥王代が終わり、**太古代**（たいこだい）が始まった。

太古代の世界にはいくつか注目すべき点がある。まず、地球は形成されて間もなかったため、地殻の下はまだ高温で、最初の生命体にとって有用な**地熱**をたくさん放出していた。太陽エネルギー（太陽熱）はまだ微弱で、初期の生命にとってあまり魅力的ではなかったが、それを地熱が補った。

もし生命が地表で誕生していたら、オゾン層のない地球に降り注ぐ太陽熱によって死滅していただろう。そのため、生命の誕生に適していたのは、温かく、放射線の影響を受けない深い海の中だった。

太古代の地球の上空には**巨大な月**があり、月が上空を通るとき、海岸には凶暴な潮流が押し寄せた。すでに溶岩の波ではなくなっていたが、陸上には無数の火山が点在し、噴火とガス放出を繰り返していた。火山が噴き出すガスはおもに二酸化炭素で、これがまだ大気の主要な成分であった。

もう一つ重要な点は、土地のすべてが岩であったということだ。私たちが想像しがちな平原や森林の緑は、まだ存在していなかった。地球の表面は、水があることを除けば月面に似ていた。

だが、そんな**無生物の時代**が終わろうとしていた。

太古代の地球は、岩礁に波が押し寄せるほかは生気も音もなくたたずみ、それが永遠に続く可能性もあった。きわめて稀な確率で起こった一つの出来事がなければ、私たちの歴史は始まることもないまま終わっていただろう。

海の底で、複雑さが次の段階に進みはじめ、人類の系図の起点となる小さな生命が始まろうとしていたのである。

ビッグバンから生命誕生まで

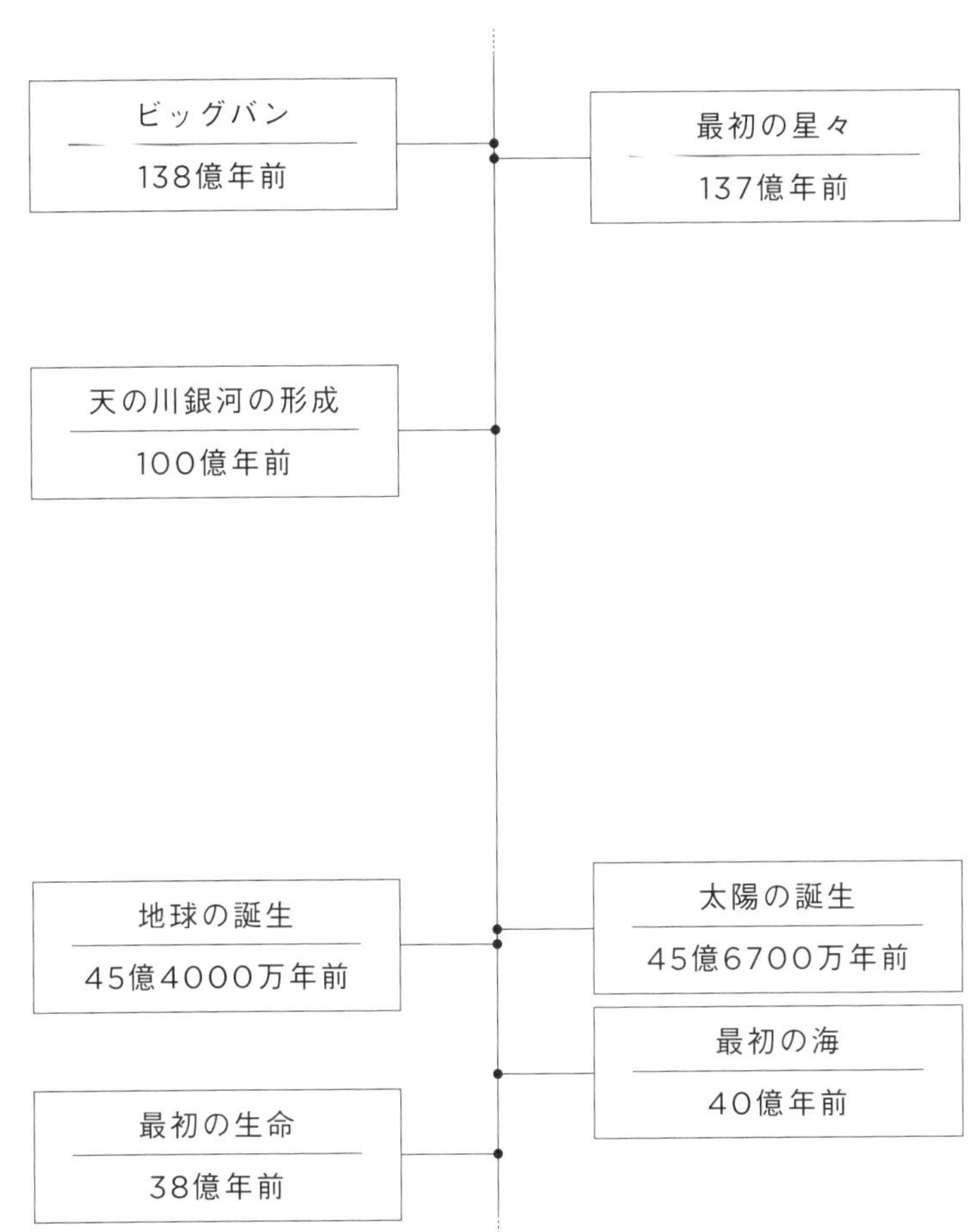

第2部

生物の時代

38億年前〜

31万5000年前

生命と進化

CHAPTER 4

その目を
見張るような奇跡

LIFE AND EVOLUTION

死の世界だった地球の環境がわずかに和らぎ、生命に生存のために闘うチャンスが与えられた。

分化と小惑星の衝突により、地球上に最初の海が複数形成された。

その海の中で、有機化合物の長い鎖が形成されはじめた。

有機化合物は自己複製しはじめ、進化し、生命の誕生を誘発した。

その生命の一部が光合成をしはじめた。

光合成が大気を混乱させ、多くの生命を死滅させた。

そんな逆境をはね返して真核生物と有性生殖が進化した。

そして最後のスノーボールアースによって、最初の多細胞生物が誕生した。

38億年前、「生命」が生まれた

38億年前、太古代の地球の穏やかな海で**生命**が誕生した。時期を特定できるのは、初期の微小生命体が太古代の岩石に化学的な痕跡を残してくれたからだ。

35億年前の微生物については、その痕跡を実際の化石で見ることができる。その単純な原始生命でさえ、前章までに見た宇宙のすべてのものを凌駕（りょうが）するほど複雑な構造をしていた。

時間を少し戻そう。

40億年前に地表の温度は沸点以下に下がり、その後数百万年続いた雨によって**最初の海**が生まれた。生命体は固い岩の中では動き回ることができないので、海の出現は生命が誕生するための必要不可欠な条件だった。地表面では放射線に焼かれるし、希薄なガスの雲の中でも生命は存在できない。しかし液体の水は、有機化合物にとって、動き回ってスープのように混ざり合うことができる理想的な環境だった。

原始の生命はきわめてもろく、誕生したのは奇跡的なことだった。そんな生命にとって、海の底はもっとも安全な場所だった。

では、その生命は、複雑な生命へと進化するのに必要なエネルギーを、どこから得たのだろう？　もっとも可能性が高いのは、地殻の割れ目から地熱を汲み上げる海底の火山や噴出孔だ。海底火山の周辺には、熱の恩恵に浴した微生物が生息した。


これでスープとコンロの準備ができた。あとは具材だけだ。

太古代の海には、分化によって湧き出たさまざまな有機化合物が豊富に存在した。地球上のあらゆる生命の基礎である有機化合物のほとんどが**炭素**などの軽い物質だったのは、地球という星の形成過程を考えれば自然なことだった。とりわけ、炭素は柔軟性に富んでおり、これまでに発見されているすべての化学物質の約90％において、原子を結びつける重要な役割を果たしている。

炭素のほか、水素、酸素、窒素、リンも、生命が自己を複製するうえで重要な物質だ。38億年前、海底噴出孔の縁にこれらの元素が集まって、**アミノ酸**や**核酸塩基**という長く糸状につながった複雑な有機化合物を形成したのである。

アミノ酸は生命を維持するのに不可欠な栄養素で、私たちが毎日食べているものの中にも含まれている。炭素、水素、酸素、窒素の原子が9個ほどつながったものだ。

アミノ酸は**タンパク質**を構成する部品だ。タンパク質は平均20種類のアミノ酸のさまざまな配列によって構成されていて（なかにはもっと多いものもある）、細胞が発するさまざまな命令を実行するために使われる。すなわち、エネルギーを燃焼させて複雑さを維持するため、生殖のため、さまざまな形質を成長させるため、環境に対応するため、あるいはたんに細胞周辺の物質を動かすといったことのために使われる。

一方、核酸塩基は**核酸**を構成する部品だ。核酸は**DNA**（デオキシリボ核酸）と**RNA**（リボ核酸）の基本成分である。核酸塩基にはアデニン（$C_5H_5N_5$）、グアニン（$C_5H_5N_5O$）、シトシン（$C_4H_5N_3O$）、チミン（$C_5H_6N_2O_2$）がある。宇宙が誕生したときに存在した水素原子（H）と比べれば、ずいぶん複雑さが増していることがわかる。

もっとも魅惑的な酸
——DNAの秘密

DNAはすべての生きた細胞の中に存在し、その細胞がどんな特徴を持ち、どうふるまうべきかをタンパク質に伝えるデータベースだ。DNAは生物という有機コンピュータの〝ソフトウェア〟であり、ビデオゲームを動かすプログラムを格納したメディアである。

DNAが生物の形状や行動を決める。歯もソバカスも、唸り声も笑い声も、すべてDNAで決まる。

DNAは何十億もの原子からなる鎖2本が、らせん状にねじれあった構造をしている。それぞれの鎖は多くの**ヌクレオチド**で構成されており、そのヌクレオチドは先に述べた核酸塩基で構成されている。

核酸塩基は太古代の地球の海で形成された可能性が高い。アデニン、グアニン、シトシン、チミンは遺伝情報が書き込まれた核酸塩基で、いわば1と0で書かれたコンピュータのプログラムのようなものだ。

DNAからの命令は、有機コンピュータの〝ハードウェア〟であるRNAに伝えられる。こちらは1本の鎖でできている。RNAは、DNAからの命令を受け取ると、開封して指示（1や0）を読み取り、タンパク質を生産する細胞内の小さな工場（**リボソーム**と呼ばれる）に伝える。その命令を受けて、タンパク質が有機体の建設に取りかかる。RNAとタンパク質は、本質的に、コンピュータのディスク読み取り装置とマイクロチップのようなものだ。

38億年前、高度に複雑な構造をした酸性の有機分子や物質は、行き当たりばったりに見えて、じつは緻密な化学反応を繰り返しはじめた。その後、それはどう進化していったの

生命の歴史

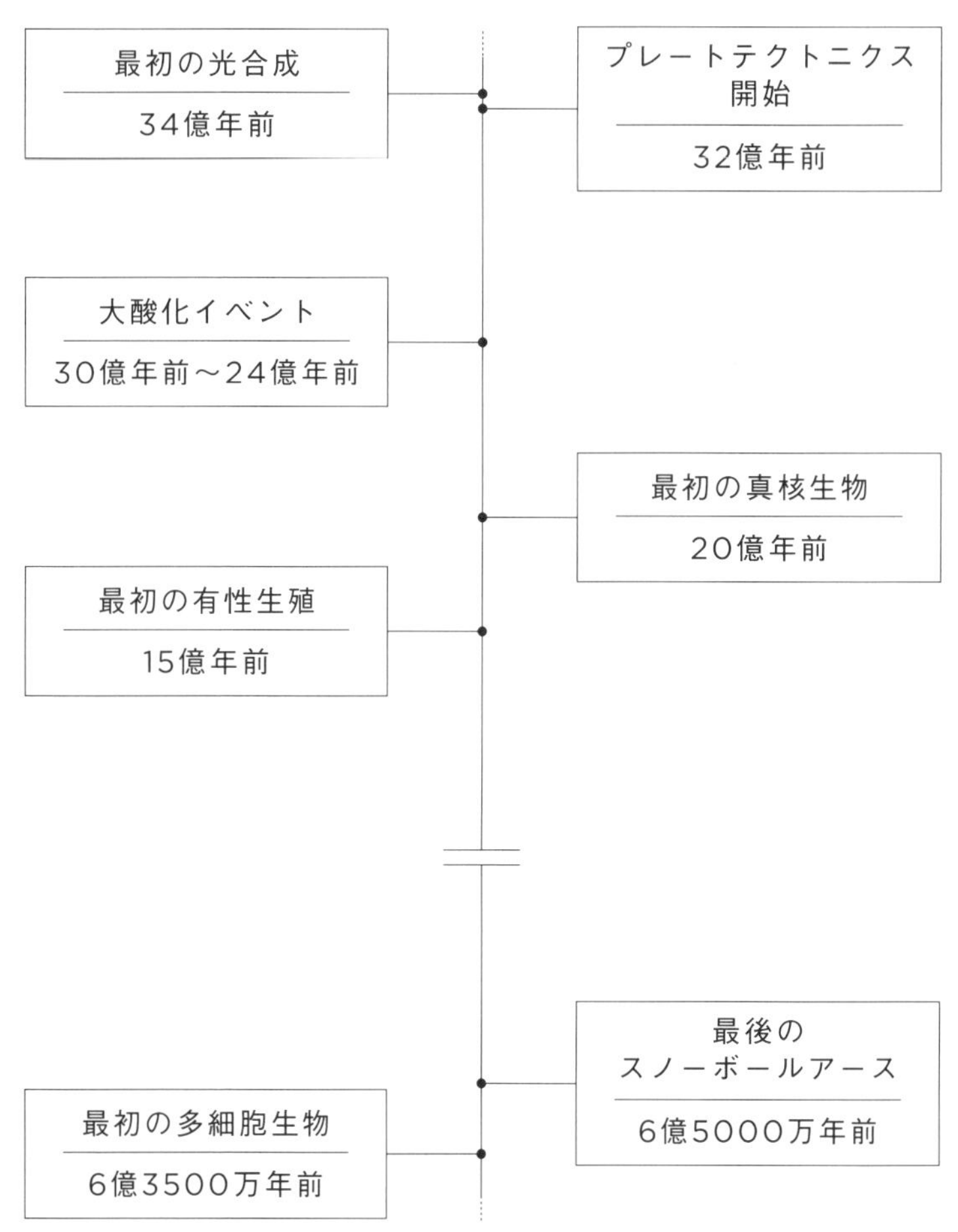
最初の光合成
34億年前
プレートテクトニクス開始
32億年前
大酸化イベント
30億年前～24億年前
最初の真核生物
20億年前
最初の有性生殖
15億年前
最後のスノーボールアース
6億5000万年前
最初の多細胞生物
6億3500万年前

だろう？

「単純なもの」から「美しくすばらしいもの」へ

基本的な有機化合物から、どのようにしてDNAやRNAのような複雑な構造が生まれたのか、私たちの歴史の教科書はまだ空白のままだ。しかし、いったんそのような構造ができあがると、それを生んだ化学反応がそこでストップすることはなかった。

DNAは自己を複製（コピー）し、細胞の残りの部分に指示を与えつづける。自己を複製する際、DNAは二つに分かれる。ほとんどの場合、このコピーは完璧に行われるが、まれにコピーミスや**突然変異**が起こり、わずかに違う命令が伝えられることがある。10億回に1回ほどの割合で、コピー中に突然変異が起こり、少し違う有機体が生まれる。

DNAが毎回完璧にコピーされ、ただの一度も失敗がなかったなら、生命は38億年前のままの姿で海底火山の縁にとどまり、進化することもなかっただろう。

つまり、突然変異が生物に歴史的な変化をもたらしたのである。

変異の中には、生命にとって致命的なものもあれば、生存に特段の影響を与えないものもある。なかには好都合なものもあって、そのような変異は自己複製を繰り返す。置かれている環境に好都合な変異は存在しつづけ、そうでない変異（そしてその変異を遂げた有機体）は消滅する。

これが**進化**というものだ。個体や種全体が選択されるのではなく、進化にとっての有用性に基づいて**遺伝子**が自然選択されるということである。環境が変われば、それに適合する遺伝子も変わる。

有機化合物が集積してできた遺伝子という複雑な物質には、有機体が生きつづけるのに必要な性質がすべて備わっていた。すなわち、地熱噴出孔から流れ出るエネルギーとまわりにあるアミノ酸を食べ（**代謝**）、自己をコピーして再生産し（**生殖**）、有用な突然変異に基づいて形質を徐々に変化させていく（**適応**）ことができたのである。

代謝、生殖、適応の三つは、生命とは何かを定義し、生物と無生物の違いを定義するうえでもっともすぐれた概念である。

38億年前、海底火山の周辺で自己複製と進化のプロセスが始まると、その有機物の混合物は多様で奇妙な新しい形態に姿を変え、やがて地球全体を覆った。今日の地球に住むバクテリア、植物、動物、そして人間のすべてが、この38億年前の〝粘土の塊〟から形づくられているのである。

ダーウィンが『種の起源』の最後に書いたように、「じつに単純なものから、きわめて美しく、きわめてすばらしい生物種が際限なく発展し、なおも発展しつつあるのだ」。

「最初の生物」が現れた
――光合成を利用した原核生物

海底に出現した最初の生物は、海底火山からの熱を取り込み、周囲の化学物質を吸収して生存した**原核生物**である。きわめて単純な構造の、核を持たない単細胞の微細な生物だ。DNAが細胞内に浮遊しているため、DNAが損傷する危険性が高かった。原核生物には性がなかったが（！）、数分ごとに分裂して自己を複製した。数秒でクローンをつくるものもあった。

太古代の海はこのような小さな生物で満ちていたので、海底火山の周辺では〝土地不足〟だけでなく、化学物質も不足していた。そのため原核生物は海の表層に移動しようとし、地熱エネルギーではなく**太陽エネルギー**を利用できるように進化した。

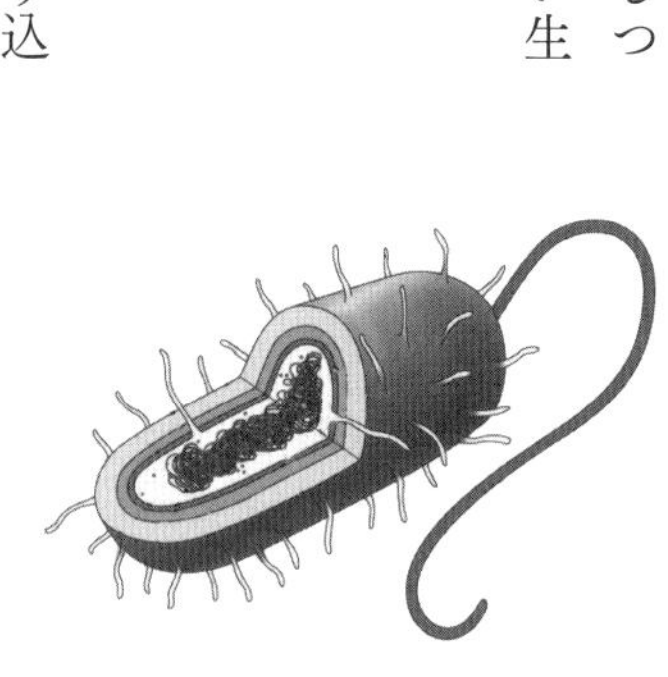

原核生物

34億年前になると、海面近くにいる原核生物は、水と太陽光と二酸化炭素を使った自給自足の生活をしていた。今日の**植物**と同じだ。地球上で最初に光合成をしたのがこれらの原核生物だ。水中の水素と空気中の炭素を食べ、太陽エネルギーでそのプロセスを促進した。二酸化炭素から炭素を吸収したあとに残った酸素は、廃棄物として捨てられた。

微生物がこの変化を遂げるのに4億年かかった。人間の寿命が80歳だとしたら、その500万倍だ。海から陸に這い上がってきた最初の〝**魚**〟が人間に姿を変えるまでに要した時間に匹敵するほどの長さである。

光合成を行う微生物の中には、大きなコロニー〔生物集団〕を形成したものもある。それが化石化した**ストロマトライト**〔死骸と泥粒などでつくられる堆積構造の岩石〕は、大きいものは高さが1メートルを超す。西オーストラリア州のシャーク湾にあるこのコロニーの化石は、およそ30億年前に形成されたものだ。

「酸素」による大量虐殺
——大酸化イベントという絶滅事象

生物には、早くもこのころから環境を破壊する性質があった。最初の光合成生物は二酸化炭素（CO_2）を食べて酸素（O_2）を老廃物として排泄した。**酸素**は光合成を行う生物には必要のない有害なウンコだったのだ。酸素は反応性が高く、激しい化学反応を起こしやすいからである。大量に発生していたら、原核生物は死に絶えていたかもしれない。だが幸いなことに、34億年前、大気中の酸素の量は無きに等しかった。

しかし、その状況が徐々に変化していった。

海にいる光合成生物が排泄した大量の酸素は、最初のうちは地殻の岩石に再吸収されていたが、**30億年前**になると、それだけではすまなくなり、残った酸素が大気中に吐き出されはじめた。これは**大酸化イベント**といわれる事象で、ゼロに近かった大気中の酸素濃度は、25億年前には約２・５％まで上昇した。それは酸素のない環境で進化してきた生物を苦しめるのに十分な量であった。

こうして原核生物の多くの種（どれも人間の祖先になっていたかもしれない種）が死滅した。死滅したのはちっぽけな単細胞生物にすぎなかったが、地球の歴史上、もっとも致命的な絶滅事象であり、生物が自ら招いた絶滅でもあった。

しかし、その死滅が緩慢なものであったことにも注目しておきたい。この死のプロセスは、カンブリア爆発〔１２５ページ参照〕から人類が誕生するまでの時間とほぼ同じ、約

5億5000万年かけて進行したのである。複雑ではない生命、つまり小さな微生物は、進化に時間がかかり、環境に影響を与えはじめるまでにも時間がかかる。しかし、ひとたび影響が生じはじめたら、もはや取り返しがつかないほど生命の力は巨大だ。

小さな変化が大きなうねりとなって宇宙をかき乱す――これは本書を貫くテーマである。

「灼熱のクラムチャウダー」が大陸を動かす

――プレートテクトニクスとは？

38億年前から32億年前にかけて、溶けた岩石が地球の内部を移動し、マントルやコアに比べれば卵の殻のように薄い地殻に圧力をかけつづけた。この灼熱の巨大な圧力が、地表に巨大な火山を出現させ、そこからの噴出物が薄い地殻を切り裂いたことだろう。

32億年前には、「**プレートテクトニクス**」として知られる地殻の動きが始まった。

地殻は複数のプレートに分かれ、その下のマントルにある溶岩や液状化した岩石の対流に揺さぶられる。この対流がプレートを動かして大陸を移動させるというのが、プレートテクトニクスの理論だ。これが新しい山や海をつくり、地震や火山噴火を発生させて、やむことなく地球の様相を変化させつづけている。

クラムチャウダーを入れた鍋がコンロの火にかかっていると想像してほしい。相対的に低いキッチンの室温でスープの表面に膜ができるが、その下では液体がぐつぐつと煮えている。勢いよく泡立つとその膜が破れて、中にある塊を表面に押し上げることがある。ひとことで言えばこれがプレートテクトニクスだ。

地球が「氷」で包まれた
——スノーボールアースの衝撃

25億年前、大気中の酸素の増加は止まらず、むしろ加速した。海から酸素が放出されて、大気中の酸素濃度は上昇しつづけた。

22億年前、酸素が大気の上層に入りはじめた。太陽からの熱が、光分解と呼ばれるプロセスで酸素分子（O_2）をオゾン分子（O_3）に変えはじめた。太陽光がO_2を解離させて2個の酸素原子が生まれ、それが別のO_2と結合してO_3を形成したのだ。

その結果、O_3の層が地球を覆いはじめた。それが**オゾン層**だ。オゾン層はこれまで地表を焦がしていた太陽光の多くを宇宙空間にはね返した。

オゾン層は、形成を妨げるものがなかったために、どんどん厚くなっていった。地表に届く太陽熱が少なくなったことで、地球全体が冷えはじめた。

地球の**南極**と**北極**で海が凍り、厚い氷の層が形成されはじめた。氷床（ひょうしょう）は両極にとどまらず、赤道に向かって広がっていった。雪に覆われた白い氷は、面積を広げるにつれて多くの太陽光を反射して宇宙へ送り返した。その結果、気温の低下と地球の凍結が加速し、地球の平均気温はマイナス50℃程度まで下がったと思われる。

やがて、南北から拡大してきた、厚さが何メートルもある二つの巨大な氷床が赤道で出合い、合体して、地球全体を氷で包み込んでしまった。この状態は「**スノーボールアース**」（全球凍結）と呼ばれている。

「呼吸」できる生物が出現する

25億年前から20億年前にかけて、いくつかの形態の微小な生命が、酸素をエネルギーとして利用する能力を獲得した。このプロセスを**呼吸**と呼ぶ。光合成のように水と二酸化炭素をエネルギーに変え、酸素を老廃物として出すのではなく、呼吸を行う好気性細胞は酸素を取り込み、水と二酸化炭素を老廃物として排出する。そのような微小な単細胞生物が大気中の酸素をむさぼりはじめた。

20億年前、スノーボールアースはすべての生物種に負荷をかけた。酸素を吸収して生きる新しい生物は、生き残るためにかなり厳しい条件を満たさなければならなかった。その結果、原核生物よりはるかに複雑な単細胞構造を持つ**真核生物**に進化した。

酸素を消化できるように進化した真核生物にとって、酸素分子は多くのエネルギーを与えてくれたので、この〝頑丈〟になった細胞が進化に必要な燃料に事欠くことはなかった。

やがて真核生物は10倍から1000倍ほどのサイズになった。まだまだ小さいが、大きいものは肉眼で見えるほどになった。

原核生物と違って真核生物のDNAは核で護(まも)られ、細胞は細胞骨格によって支えられていた（テントの支柱がキャンバス地の屋根や壁を支えている状態を想像してほしい）。真核生物のドメイン〔生物分類学における区分。「界」より上のもっとも高い階級〕に属する種は頑丈で、構造とエネルギーの複雑さも若干増したため、スノーボールアース期を生きのびることができた。

やがて**火山**が、地球を覆っていた氷床を突き破り、二酸化炭素を大気中に放出しはじめた。その結果、地球は温暖化した。氷床が後退するにつれ、地表や海底に閉じ込められていた二酸化炭素がさらに大気中に放出された。

地球はこのような温暖化と寒冷化のサイクルを繰り返した。スノーボールアースの時代が終わると、そのあとには、好気性の種と嫌気性の種の両方が住める地球が出現した。

「セックス」が進化に有利になる

スノーボールアースの勢力後退後、真核生物は自分たちが住める新しいニッチ（生息に適した空間）を多数発見した。

真核生物の中には、**ミトコンドリア**という新しいオルガネラ（単細胞生物内の小器官）を使って酸素呼吸を続けたものもあれば、**葉緑体**と呼ばれる小器官によって光合成をするように進化したものもあった。

前者は動物の祖先であり、後者は植物の祖先である。人間は、ヒナギクであれバナナであれ、生命系統図の植物の枝にあるすべてのものと、少なくとも30％のDNAを共有している。動物とはもっと大量のDNAを共有している。

およそ15億年前、何らかの破局的事象と生態学的緊張の時期（原因は不明）によって、真核生物にとっての食料が不足した。地域的なものだったか世界的なものだったかはわからないが、食料不足のために真核生物は互いに食べ合うようになった。**共食い**によって生き残りを図ったのである。

この共食い行為によって、偶然DNAの交換が行われたケースもあったはずだ。このハンニバル・レクターのような行為は、原初のセックスだったとも言える。およそ15億年前まで、真核生物も原核生物と同じように自己のクローンをつくって増殖していたが、セックスをする真核生物が現れたのだ。

有性生殖の進化論的利点は大きい。DNAの交換によって遺伝的多様性が増す。DNAの突然変異は2倍の頻度で起こり、2個の親細胞のあいだで遺伝子が混ざり合うことで、有利な結果が得られることもある。進化がより速いペースで進むようになるのだ。

最初に出現した〝セクシーな〟真核生物も、通常の細胞のように分裂した。ただし、すべてのDNAをコピーするのではなく、半分だけコピーするようになった。そのため、新しい生命を生み出すのに必要な数の染色体を確保するために、結合する〝配偶者〟を探さなくてはならなくなった。見つけられなければ死に絶えることになる。

有性生殖のプロセスは進化にとって非常に有利だったので、セックスの相手を見つけるための新しい戦術や行動、最終的には本能が生まれた。多細胞化した生物はセックスの相手を奪い合うようになり、それが種全体の行動の進化に影響を与えた。

このようにして、セックスと生殖への欲求が生物の本能に刻み込まれた。生殖行動ができるようになるまで生き残り、セックスの相手を惹きつけることが、生きるうえでの主要な動機になったのだ。

進化の過程に強く広く浸透したセックスは、種の形質と本能の圧倒的大部分を形づくった（そのため生物の行動は性本能に支配されて〝フロイト的〟になった）。人間においては、その行動、合理的思考、優先順位、さらには文化や社会の形成にさえ影響をおよぼすようになった。

氷の世界が「多細胞生物」を生む

光合成を行う生物が酸素を過剰に排出する傾向は、この10億年間、繰り返されてきた。とくに、二酸化炭素を放出して過剰な酸素を相殺してくれる火山活動が少ない時期には、酸素濃度の上昇が顕著になった。

その結果、この10億年で、地球はスノーボールアースの時代をさらに2回経験した。氷で覆われた面積が増えたなどという生やさしいものではなく、地球が丸ごと完全に氷の層で覆われたのである。1度目は約7億年前、2度目は6億5000万年前から6億3500万年前にかけて起こった。

2度目のスノーボールアースで、さらに地球に負荷がかかったが、その過酷な環境に、有性生殖をするように進化した真核生物は速く適応できた。〝セクシーな〟真核生物の一部はコロニーを形成し、さまざまな微生物がそれぞれの機能を果たす共生によって、凍える環境を集団で生きのびたのである。

この最後のスノーボールアース（最後であってほしい）によってこの共生に拍車がかかった。真核生物はただコロニーで共生するだけではなく、個々の微生物が果たすべき役割に特化することで、互いの存在なしでは生きていけなくなったのである。こうして最後のスノーボールアースの圧力で、最初の**多細胞生物**（植物、動物、菌類の祖先）が誕生した。

人間は「37兆個の細胞」の集合体である

単細胞生物同士の共生が密になっていくと、どこかで閾値（しきいち）を越えて多細胞生物化が起こる。たとえば、私たち人間は肝臓の細胞とただ共生しているのではない。私たちが買い物に行くとき、肝臓は地面を這って私たちの後ろについて来るわけではない。肝臓は私たちにとって切り離すことのできない体の一部であり、私たち人間と肝臓は合わせて一つの構造体、一つの生物なのだ。

多細胞生物は、何兆個もの細胞の集合体である。それぞれの細胞はDNAの指示に従って異なる働きをするよう形づくられ、役割を果たし、ほかの細胞と合体して臓器を形成している。臓器もまたほかの臓器と結びついて循環器系、呼吸器系、消化器系などの複雑なパッチワークを構築する。

その複雑さのスケールを感じるために、こんなふうに考えてみよう。

1人の人間の体には**37兆個の細胞**がある。天の川銀河に存在する星の数を4000億とし、細胞1個を星と考えれば、人体には約92・5個の銀河が存在する計算になる。人体は、構成要素の数や構造の複雑さという点では、ここまでこの本で見てきたどんなものをも凌駕している。

多細胞生物には、壊れるかもしれない可動部分がたくさんある。複雑になるほど壊れやすくなるのだから、生物にはもっと複雑に進化しようという動機があるわけではない。地球上の生物の大半がまだ単細胞なのはそのためだ。種は環境に強制されてはじめて複雑に進化するのである。

宇宙の大部分がかなり単純なのも、原子の大半が水素なのも、それが理由だ。複雑さは例外であって原則ではない。すべての複雑さは、ビッグバンの直後、99・99999999％のエネルギーが均等に分布していた死の宇宙に生じた、エネルギー分布のわずかなばらつきから生まれたのである。

次の「エネルギー」を探し求める旅

複雑さが生まれ、維持され、増大するためには、エネルギーが多くあるところから少ないところへと流れる必要がある。また、生物が自らの複雑性を維持し、死を免れるためには、星などより（単位質量当たりで）高密度のエネルギーフローが必要である。

- **太陽**：2エルグ／g／s（質量1グラムが1秒間に必要なエネルギー量）
- **典型的な微生物**：900エルグ／g／s
- **木**：1万エルグ／g／s
- **イヌ**：2万エルグ／g／s

生物は莫大なエネルギーを必要とする

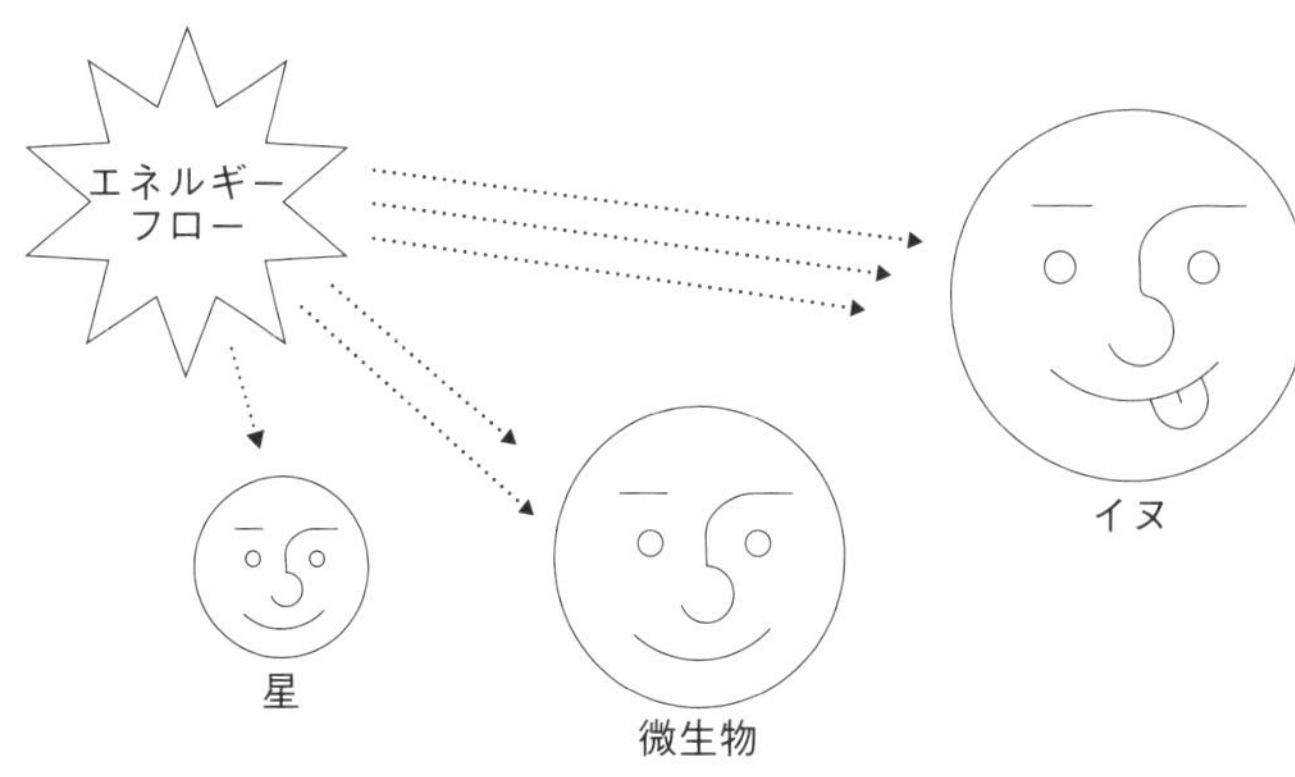

38億年前に地球に現れた微生物は、星のような壮大さはなかったが（なにしろ微小で非常に壊れやすかった）、1個の細胞が働きを維持するために、星よりも大きなエネルギーを必要としていたのである。

ビッグバン後に出現した物質とエネルギーの最初の不均衡から、恒星が生まれ、惑星が生まれ、有機生物が生まれた。複雑性の種（たね）を抱えた宇宙の小さな一角——地球——では、必要なエネルギー密度がますます高まっている。この傾向は人間が登場するとさらに強まる。

エネルギーの必要性は増大する一方だ。生命はどうすればそれを満たせるのだろう？　答えはわかっている。自らエネルギーの流れを獲得することによってである。

星は何十億年か宇宙を漂い、燃料を使い果たしたら抵抗することなく消滅していく。だが、生物は自らの生存を維持するために、新しいエネルギーの流れを探し求める旅に出る。化学合成で、光合成で、植物を食べることで、狩りをすることで、あるいはビールを飲んだりマクドナルドに行くことによって。

宇宙を漂う星たちは、ヘリウムの雲を追いかけて食べたりはしない。エネルギーを積極的に求めるのは、生きているものだけが持つ特徴だ。

生物は、宇宙のストーリーのこの時点で、歴史に働きかける主体であるという意識を持つようになった。私たちはもはや、受動的で生物のいない宇宙の中で静かに自分の運命を受け入れるだけの存在ではない。成長し、変化し、革新し、できれば消滅を食いとめる能力を獲得したいと願う存在なのだ。

複雑さを獲得したときから、生物は穏やかな眠りにつくことはない。

このときから、私たちは生き残るために闘うようになった。複雑さを味方につけることができれば、勝てる可能性は高くなる。

CHAPTER 5

繁栄と絶滅

次々と生まれては
絶滅していく

EXPLOSIONS
AND EXTINCTIONS

海で多細胞生物が増殖した。
目、脊椎、脳が進化した。
植物、虫、そして脊椎動物がゆっくりと陸に上がった。
絶滅とそれに続く急速な進化が、奇妙で奇怪な姿をした新たな種を生み出した。
ダーウィン的〝弱肉強食〟の戦いが展開する中で、複雑さの増大は足踏み状態に入る。

高速で「爆発的な進化」が起こる

いよいよ古典的な**進化論**の世界が始まる。生物は弱肉強食の世界で生存を賭けた戦いを繰り広げるという進化のイメージだ。このあたりから世界は、それ以前よりはるかに複雑になっていく。

ビッグバン以後の宇宙の変化は、数十億年とか数億年の単位で語られたが、生物の進化はもっと速いスピードで進んでいく。それはシステムの複雑化がもたらす副次的効果だ。変化のスピードが増し、周囲の環境に与える影響も深く大きくなる。その意味で、6億3500万年前（最初の多細胞生物）から現在までの歴史は驚くべき出来事の連続だった。

6億3500万年前から6600万年前（白亜紀の大量絶滅）にかけて、地球は爆発的な進化と絶滅を繰り返した。生命が画期的な形質を獲得し、環境の中に何千もの新しいニッチを開拓することで、爆発的な進化が起こった。あるいは、多くの種を死滅させる壊滅的な出来事があると、空白になったニッチを別の生命がすばやく埋め尽くした。そしてそのたびに、新しい何かが出現した。

忘れてはならないのは、そうした変化は、宇宙が誕生したときの初期条件にはまったく織り込まれていなかったということだ。地球に生命が誕生していなくても、何の不思議もなかったのである。

地上の生命の実験は何億年も前に終わっていたかもしれないし、衝突した惑星の当たり所が悪ければ全生命が死に絶えていたかもしれない。

何億年もの進化の中で、人類に繋がる無数の種のどれかが死滅していたかもしれない。

さらに、何十億もの精子のうちの一つが無事に旅を終えたことで自分が誕生したことを考え合わせると、自分がこの宇宙に存在していること自体が奇跡的に幸運なことだと思えてくる。

ダーウィンの世界は、定義上、残酷な世界である。進化が絶滅という要素を必要としているからだ。ある生物が有用な形質ゆえに**自然選択**されるためには、競合するほかの生物の多くが消滅しなければならない。生存に適したニッチと資源には限りがあるからだ。これまでに存在した種の99・9%が絶滅した。

その意味で、「自然選択」という言葉はやや間違った印象を与える。自然は、何かを選ぶのではなく、その何か以外を積極的に排除するのだ。

その選択の過程を生き抜いた種が**人間**である。

生物の繁栄と絶滅の歴史

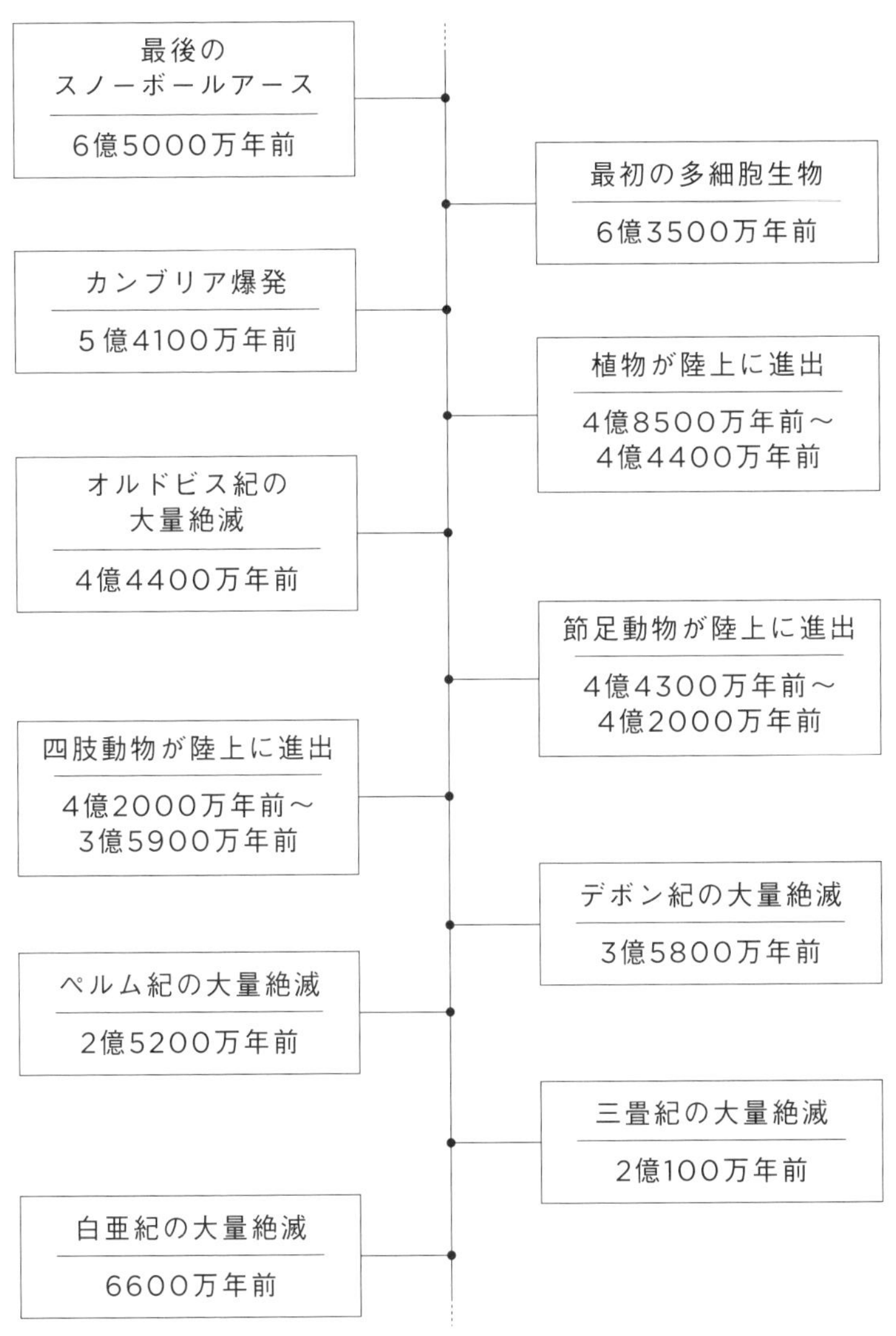

多細胞生物が出現した「エディアカラ紀」

――6億3500万年前～5億4100万年前

最後のスノーボールアースが終わると、火山からの二酸化炭素放出によって大気中の酸素濃度が低下した。その結果、気候は劇的に温暖化し、海で最初の**多細胞生物**が誕生した。だが陸地は、火星のようにゴツゴツした岩で覆われた不毛の地で、多細胞生物の姿はなかった。

エディアカラ紀の化石を見つけるのは難しい。ほとんどの生物はぐにゃぐにゃと柔らかく、カンブリア紀に登場するような**炭酸塩**から成る殻や骨格がまだ進化していなかったからだ。

最初に現れた多細胞生物の種は、いささか不器用な進化の試みによって、おっかなびっくり登場した。どれも、これまで自然選択が扱ったことがないような構造をしていた。多細胞生物は突飛に見え、あとに続く生物とは似ても似つかぬ姿をしていた。

そのころの動物界には、たとえば、サンゴともクラゲともつかない奇妙なゼラチン状の構造を持つ**エディアカラ**という生物がいた。海底には**アルカルア**という円盤状の奇妙な生物がいた。口も肛門もないこれらの生物は、おそらく皮膚から食べ物を吸収して皮膚から老廃物を排泄していたのだろう。原始的なミミズのようなプテリディニウムや、水中版の長いシダの葉のようなチャルニアといった生物もいた。

エディアカラ紀のほとんどの動物は移動手段を持っていなかったが、海底を漂いながら食べ物を探していたものもいたかもしれない。怪奇小説のＨ・Ｐ・ラヴクラフトが大喜びしそうな、不思議な光景が広がる時代だった。

エディアカラ

生物が急速に進化した「カンブリア紀」
——5億4100万年前〜4億8500万年前

次に到来したのが**カンブリア爆発**である。5億4100万年前に始まって1500万年ほど続いた時期で、多細胞生物が新しい生態学的ニッチに進出し、急速な進化を遂げたことからこのように呼ばれている。硬い外骨格(がいこっかく)や殻が進化したので、多くの化石が発見されている。それが**節足動物**で、カニ、ロブスター、昆虫、クモ類など、不気味なものか高級食材か、いずれかの祖先だ。

目もこの時期に進化した。当初、目は動物が光や動きの変化を感知するための原始的な感覚器官だった。この進化が定着したため、すべての動物に目がある。コウモリやアナグマ、深海魚など、目を使わない方向に進化した種にも目がある。

だが、目の進化の方向は一様ではない。たとえば、多くの軟体動物の目は、頭と見なされている場所にではなく、体のどこか別の場所に配置されている。アリやクモの目も人間の目とは大きく異なる。人間とイヌのような近縁種〔共通祖先までの世代数が近く血縁度の高い種〕であっても、視覚の性質や能力は異なる。

節足動物の中でもっとも成功したのは、**三葉虫**のさまざまな種である。カンブリア紀の三葉虫は5~35センチメートルの大きさで、バクテリアや植物、さらにほかの動物まで、さまざまなものを食べた。数百匹、数千匹単位で群れを形成することもあった。多様な進化を続け、2億5200万年前のペルム紀の大絶滅〔138ページ参照〕まで生きのびた。

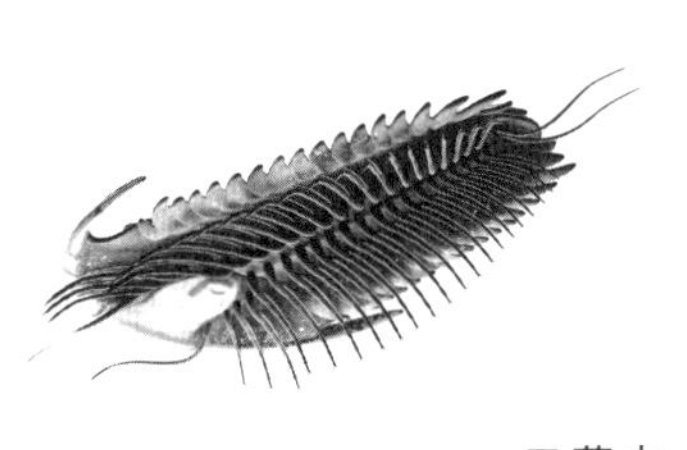

三葉虫

私たちの祖先である**脊索動物**(せきさく)は、つつましく登場した。最初に姿を見せたのは5億3000万年前、ミミズのような形状でウナギのような泳ぎ方をする**ピカイア**という生物だった。体長はわずか3センチほど。軟骨の背骨が1本、体を貫いていた。この原始的な背骨を持つ生き物が**脊椎動物**の祖先だ。

体の決まった一方をつねに前にして泳ぐので、食べ物を見つけたり危険を察知するため、感覚器官が体の前部に集まる**頭化**(とうか)という現象が起こった。神経中枢が軟骨に沿って、頭だと思われる部分に移動する進化である。これが脳の進化の最初の小さなステップだ。頭化の傾向が5億2500万年前まで続いて、**ハイコウイクティス**に進化したことが確認されている。これはカンブリア紀に初めて確認された顎(あご)のない〝魚〟の一つだ。

カンブリア紀のもう一つのイノベーションは**捕食**である。5億2000万年前~5億1500万年前の海に生息した**アノマロカリス**は、体長約1メートルの凶暴な節足動物だ(ほかのほとんどのカンブリア紀の生物に比べれば圧倒的に大きい)。

装甲のような外骨格で覆われ、体の前部にはトゲのある巨

アノマロカリス

大な2本の爪〔付属肢〕があった。この爪で危険に気づかない獲物をつかまえてトゲに突き刺し、下に向いた口に運んで食べていたのである。アノマロカリスという名前には、ラテン語で「奇妙なエビ」とか「奇妙なウミガニ」という愉快な意味がある。

自然界にはエネルギーがつねに流れているが、捕食は、多くの点でその流れの延長線上にある進化の必然だ。

太陽エネルギーを食べ、化学物質を食べ、植物を食べ、死んだものを食べる〔菌類〕ことができるなら、多細胞生物を食べるという進化に何の不思議もない。ほかの生物を突き刺して食べるアノマロカリスを凶暴と感じるなら、それは人間には自分が捕食されるのを避けようとする本能があるからだ。

エネルギー摂取について、私たちはある方法を無害と感じ、別の方法を凶暴と感じるが、それは進化させてきた本能による主観的判断だ。この主観が、肉食のモラルをめぐる議論や、ダーウィン的世界にそなわっている残酷さの解釈を複雑にしている。

捕食は進化の軍拡競争を引き起こす。アノマロカリスのような捕食者に対抗して、攻撃をはね返すために外骨格にトゲを発達させ、身を守るために丸くなることを覚えた三葉虫もいた。見つけられる危険を回避するために、カモフラージュや高速で移動する術を身につけた三葉虫もいた。自らも捕食者になって、自分の身を守れないミミズやクラゲを食べるようになった三葉虫もいた。捕食者と被食者による進化の軍拡競争はいまも続いている。

温かい海で生物が多様化した「オルドビス紀」
——4億8500万年前~4億4400万年前

オルドビス紀の大気は、現在の10倍もの二酸化炭素で満たされていた。オルドビス紀初期の海の平均温度は、ぬるくもなく熱くもない風呂の温度のようだった(35℃~40℃)。4億6000万年前には、25℃~30℃まで冷えたが、それでも現在の熱帯の海の温度とほぼ同じぐらい温かかった。

タコやヒトデの最初の祖先が出現したのがこの時代だ。温かい海には**サンゴ礁**が形成された。牡蠣(かき)、二枚貝、海貝(うみがい)の祖先が繁殖した。最初のウミサソリも出現した。体長は数センチメートルから、30~40センチメートルほどのものまでいた。さまざまな進化の結果、オルドビス紀の海洋生物の種はカンブリア紀の4倍に増えた。

一方、陸上に進出する最初の多細胞生物が現れた。**植物**である。海岸線や河川沿いに生息していたごく単純な藻類から始まり、小さな雑草のような構造(背の高さはせいぜい10

センチ程度）に進化したものもある。ミネラルを供給してくれる菌類と共生したので、菌類は植物の根に付着するようになった。

その陸上植物のせいで、最後のスノーボールアース以来の大量絶滅の危機がふたたび襲った。地球上の酸素濃度が上昇し、温かい海で生息する生物が死滅する**冷却期**が訪れたのだ。

だが、その期間は長くは続かなかった。二酸化炭素が急速に増加して大気中の濃度が昔のレベルに戻り、地球の温度が上がったために、低温に適応するように進化した種は死滅してしまった。

その結果、海洋生物の70％が絶滅した。生き残った生物が進化して、絶滅した生物が暮らしていたニッチを満たした。

菌類が支配する世界「シルル紀」
――4億4400万年前〜4億2000万年前

植物は陸に進出しつづけ、小さな潅木（かんぼく）からコケまで、さまざまな形に進化した。だが地上の大部分はまだ岩石で覆われており、水源の近くに矮林（わいりん）が点在しているだけであった。

顎のある魚(シルル紀)

陸に上がった**菌類**は進化の速度を速め、数メートルの高さまで成長するものもあった。植物の根はまだ原始的で、地表の岩を突き破ることができなかったが、根に付着した菌類は文字通り岩を食べて繁殖した。

海では顎のある魚が登場し、脊椎が複雑な形に発達した。顎のある魚はすぐに最初のサメに進化した。魚たちのあいだでは、より速い反射神経とより複雑な脳を発達させるというかたちで進化の軍拡競争が続いた。

シルル紀には節足動物(虫、ロブスターなど)が陸に上がった。オルドビス紀の絶滅圧力によって海から追い出された最初の**陸上節足動物**は、死んだ植物と生きている植物の両方を食料にした。

たとえば、4億2800万年前に生息した**ニューモデスムス**は、多くの足を持つ体長1センチほどの古代ヤスデで、枯れた植物を餌にしていた。菜食主義の虫たちに続いて、すぐに肉食の節足動物が現れた。クモ形類の生物がとくによく知られている。

シルル紀の酸素濃度は平均15％と低く（現在は21％）、そのためこれらの捕食者の体長も小さく、2～3センチメートルにとどまっていた。シルル紀は菌類が支配する世界で、小さな虫と小さな植物の世界であった。あまり食欲の湧かない時代だ。

4 本足の動物が現れた「デボン紀」
——4億2000万年前～3億5800万年前

この時期、地球は温暖で、極地にも氷はほとんどなく（あるいはまったくなく）、赤道付近に形成された砂漠を別にすると、地表の大部分は緑豊かな熱帯の気候に包まれていた。

菌類は高さ10メートルにもなる塔や塚を形成しはじめ、植物の根が突き破れる柔らかい土壌をどんどんつくり出した。その結果、**シダ**や**コケ**が河床（かしょう）を越えて大量に繁茂し、ついに緑の地球が出現した。

4億1000万年前には高さが14メートルもある植物が現れた。3億8000万年前には、木質（もくしつ）の茎を進化させて幹を強化し、ほかの植物と太陽光の獲得を競ってさらに高く成長する植物も現れた。こうして**最初の森林**が形成された。

イェーケロプテルス（デボン紀のウミサソリの一種）

海では種の多様化が驚くほど進んだ。魚類は頑強で大型になり、体長3〜7メートルに達するものも現れた。筋のあるヒレや肉質のヒレが発達して、体の構造が複雑になった。サメの数が激増し、ウミサソリは2・5メートルもの大きさになった。

クモは獲物を捕らえるために、絹に似た糸の網を張る能力を発達させはじめた。**飛行節足動物**が出現したのもこのころで、ブンブンという飛翔音を響かせながらその機動性の利点を生かしはじめた。

デボン紀に起こった最大の変化は、陸上に**四肢動物**（最初の脊椎動物）が出現したことだ。これが私たちの祖先である。まず3億8000万年前に、最初の**肺魚**（はいぎょ）が出現した。頭頂部に開（あ）いた穴から空気を原始期の肺に取り込むことができた。強力な前ヒレを使って浅瀬の水底を這い、餌を探した。やがて水の外でも這って移動できるようになった。

イクチオステガ（原始的な四肢動物）

3億7500万年前に出現した**ティクターリク**は空気呼吸を行い、体の前と後ろに強力なヒレがあり、移動に好都合な原始的な腰部を備えていた。

3億7000万年前には、**イクチオステガ**のような原始的な四肢動物が現れた。体長1〜1・5メートルほどの最初の**両生類**で、浅い沼地を泳いでいた。それまで頭蓋骨にあった穴は鼻孔に進化し、初期の四肢動物を特徴づける四肢があり、後肢には複数の指があった。

陸上で生活する脊椎動物には、いまも四肢と複数の指、もしくはその痕跡がある。ヒトもカエルも、イヌ、ネコ、ウマ、トカゲ、クマも同じで、ヘビでさえ例外ではない。ヘビの場合、どこにあるのかわからないほど小さくなってはいるが、痕跡は残っている。

デボン紀の終わりには、植物が酸素を過剰に排出したために地球は冷却され、乾燥した。両生類（その時点で唯一の四肢動物）のおよそ95〜97％が乾燥して死滅した。

今日の地球に存在する多様な四肢動物のすべて——サンショウウ

オからフクロウ、そしてヒトに至るまで——が、そのとき生き残った3〜5%の両生類の子孫だというのは驚くべきことだ。一方、**水生生物**は気候変動によって約50%が死滅した。

巨大な虫が跋扈する「石炭紀」
——3億5800万年前〜2億9800万年前

石炭紀は、**巨木**によって大気の酸素濃度が35%に達した（現在は21%）。地球は**森**で覆われ、高さ50メートルにまで達する木もあった。

だが、樹木は大気中に酸素を送り込みすぎて、自らを痛めつけてしまった。森林火災が多発し、広大な土地が乾燥し、森が育たなくなったのだ。

枯れた木が何層も積み重なって、いま私たちが大量に使っている化石燃料を蓄えた炭層（たんそう）が形成された。

増大した酸素によって節足動物が巨大化した。翼を広げると1メートルもある巨大なトンボ、2メートル近くある巨大なサソリ、巨大な地蜘蛛（じぐも）、巨大なゴキブリ、長さ2メートル、幅0・5メートルの巨大なヤスデなどだ。石炭紀はタイムトラベルもののホラー映画の舞台には最適だ。

最初の**爬虫類**は3億5000万年前から3億1000万年前のあいだに現れ、石炭紀に誕生した**針葉樹林**が気候の乾燥によって減少すると進化を加速させた。

爬虫類の皮膚は丈夫で水分をあまり失わない。そのため、水源から離れた内陸部へ移動することができ、徐々に増えつつあった**砂漠地帯**でも生きのびることができた。硬い殻で守られた卵を産むようになり、繁殖のために水のある場所に戻る必要もなくなった。

石炭紀の巨大な虫たち

史上最大の絶滅が起こった「ペルム紀」
——2億9800万年前~2億5200万年前

酸素濃度が23%まで低下し、虫のサイズが小さくなった。大型の虫ほど生き残るために

獣弓類

多くの酸素を必要としたからだ。ペルム紀でもっとも成功した節足動物はゴキブリの祖先で、この時代の昆虫生物相において圧倒的多数を占めた。ゴキブリだらけの砂漠というのは気持ちが悪い。

ペルム紀には爬虫類が繁栄した。哺乳類の祖先である**単弓類**、恐竜の祖先である**竜弓類**が現れた。単弓類は見た目は爬虫類だが原始の哺乳類で、乳で子どもを育てた。その多くはゴキブリを食べていた。味の好みは奥が深いと言うべきか。

獣弓類は単弓類から進化した。エネルギッシュで動きが速かったので体温が高くなった。つまり恒温動物である。体温を維持するために、多くの種が毛の生えた皮膚を発達させた。

2億6000万年前に獣弓類から進化した小さな集団、**キノドン類**（あるいは犬歯類）は小さく臆病な生き物で、その多くが穴蔵に身を隠すことができた。

一方の竜弓類は、私たちが爬虫類と聞いて思い浮かべるような特徴を保持し、カメやワニ、首長竜、翼竜、恐竜、鳥（鳥類型恐竜）まで、すべての祖先となった。

２億５２００万年前のペルム紀の大量絶滅――地球の歴史上最大の規模で、「**大絶滅**」と呼ばれる――は、現在のシベリアで起きた火山の大噴火が原因だとされている。約１０００万年続いた大災害である。

火山灰が大気に放出され、太陽の光が遮（さえぎ）られ、植物が死滅した。空から酸性の雨が降り注ぎ、海から酸素が奪われた。地球に生息する複雑な生命体のほぼすべてを絶滅させる過酷な出来事だった。

その結果、全生物種の約90〜95％が絶滅してしまった。キノドン類は体が小さく、穴を掘って行動するため、なんとか生きのびることができた。生き残った竜弓類は変化した気候の下で繁栄し、まもなく地球の支配的地位に就いた。

２００万年、雨が降りつづいた「三畳紀」

――２億５２００万年前〜２億１００万年前

大絶滅の荒廃から生物圏が回復したのは三畳紀（さんじょうき）の半ばを過ぎたころだ。この時代の気候は全体的にペルム紀より乾燥しており、**超大陸パンゲア**〔地球の大陸のほとんどが合体して生まれた大陸。ペルム紀から三畳紀にかけて存在した〕の内部に巨大な砂漠が形成された。雨は超大陸の内部には届かなかったのである。

竜弓類から**主竜類**が生まれ、そこからすべての恐竜、翼竜、ワニが生まれた。主竜類は、酸素濃度が16%まで下がった中でも呼吸できたという点で、ほかの爬虫類より有利だった。三畳紀の初期には恐竜は少数派で、生物の約5%にとどまっていた。

2億3400万年前、火山活動によって地球の気温と湿度が上昇し、突然、いたるところで雨が降りはじめた。後期三畳紀（カーニアン期）に発生したこの**カーニアン多雨事象**によって、200万年間も地球に雨が降りつづいた。そのため、砂漠のような乾燥気候を好む動物たちは壊滅的な打撃を受けた。一方、恐竜は湿度の高い環境で繁栄し、最初の**翼竜**が空を飛びはじめた。

その後、2億100万年前に起こった**三畳紀の大量絶滅**（原因は不明だが、おそらく小惑星の衝突）により、相当多くの両生類、獣弓類、そして恐竜と翼竜以外のほとんどの主竜類が絶滅した。

その結果、恐竜が地球上の四肢動物の90%を占めることになった。原始哺乳類は、ひっそりと身を隠すように生息していた。

多彩な恐竜が活躍した「ジュラ紀」

——2億100万年前〜1億4500万年前

ジュラ紀になると、超大陸パンゲアに亀裂が入って分割が始まり、気候がますます**湿潤**になっていった。

現在の状態に近い大陸が姿を現しはじめたが、北アメリカとヨーロッパはまだ一体で、南アメリカとアフリカには隙間がなく、パズルのピースのようにぴったりはまっていた。

やがて、この2組の大陸のあいだの溝が広がっていった。その結果、大陸内部の巨大な砂漠が消滅した。雨がそれまでより広く降り注ぎ、森林と植生の量が増大して、酸素濃度は約25%に上昇した。

三畳紀の絶滅で空いたニッチに**恐竜**が入り込んだ。湿度の高い熱帯雨林は草食の動物に豊富な食料を供給し、恐竜はより多く植物を食べる方向に進化した。その結果、体長35メートルの草食恐竜である**スーパーサウルス**や、肉食恐竜の典型的な姿といえる体長10メートルの**アロサウルス**などが登場し、食物連鎖を支配した。

原始的な**哺乳類**は目立たない存在だった。平均的なサイズはマウスより少し大きい程度

大陸の移動

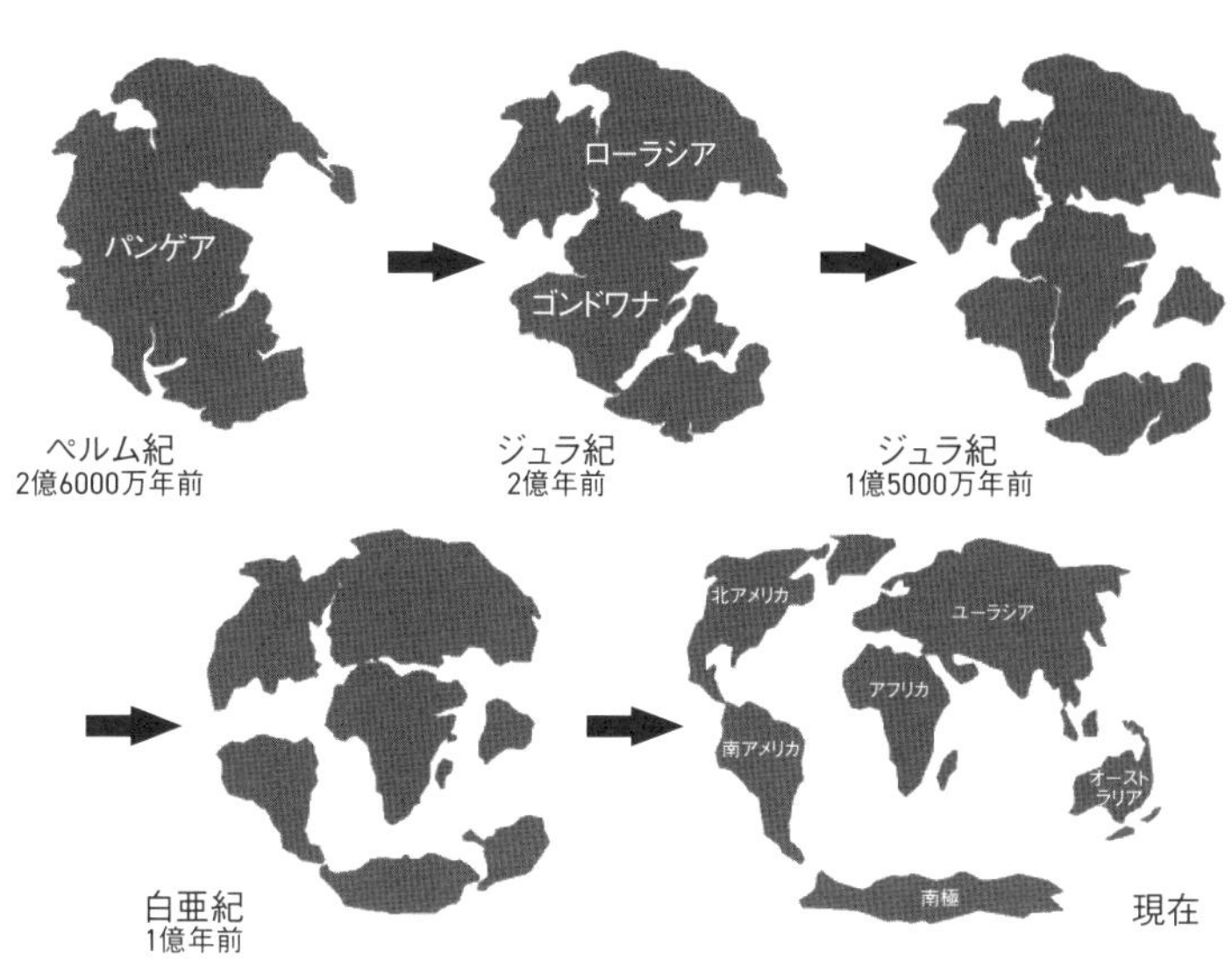

で、穴の中か木の上に隠れて住み、昆虫を食べ、夜にだけ外に出て行動した。

1億6500万年前には、少数の種が樹上生活を始め、滑空能力を身につけた。海岸や水辺に近い生息地に戻っていく種もあった。

ジュラ紀後期には、最初の**鳥類型恐竜**（鳥類の祖先）が空を飛びはじめた。三畳紀にはごく一部の恐竜に保温のための毛羽（けば）のようなものがあったが、それが羽根になったのだ。

原始的な羽根で覆われた恐竜もいれば（白亜紀のティラノサウルスにも毛羽があったかもしれない）、羽根のない恐竜もいたが、その羽根で飛びはじめた恐竜もいたということだ。

すべての恐竜が滅び去った「白亜紀」

——1億4500万年前〜6600万年前

パンゲア大陸の分割がこの時期に完了した。北アメリカ大陸と南アメリカ大陸がゆっくりと接近した。アフリカ大陸からオーストラリア大陸、南極大陸、インド亜大陸が分離し、インドはユーラシア大陸の腹部と衝突するコースを進んだ。

酸素濃度は30％まで上昇した。恐竜はまだ生息していたが、地球の生物圏の一部は明らかに〝現代的〟になりつつあった。歴史上はじめて**草地**が広がった。緑に覆われた地球を知っている私たちには奇妙に思えるが、それまでの地球では、石炭紀であれジュラ紀であれ、もっとも緑の多い時期でも、草地がこれほど広がったことはなかった。

1億4000万年前頃に**アリ**が現れた。アリは生物圏でもっとも広範に見られ、適応性の高い種の一つで、今日の地球のバイオマス〔生物資源量〕のおよそ20％を占めている。

1億2500万年前には、それまで存在しなかった**顕花植物**（けんか）が進化して地球全体に広がった。その大きな理由は**ハチ**と同時に進化したことである。

これとほぼ同じころ、最初の原始的な**有胎盤類**と**有袋類**の哺乳類が登場したことが、残された化石から判明している。どちらも卵生ではなく胎生だが、前者は子が母親の子宮中でかなり成長してから生まれ、後者は生まれた子を育児嚢の中で育てる。

いずれも体はまだ小さく臆病な生き物だったが、有胎盤類は南北アメリカ大陸、ユーラシア大陸、アフリカ大陸で、有袋類はオーストラリア大陸で優勢になった。**カモノハシ**の先祖は哺乳類だが卵を産み、子孫も分類上の例外となっている。

一方、恐竜はほとんどのニッチを埋め尽くし、生物界の頂点に君臨しつづけていた。個体数の増加によって種のあいだの競争――とくに草食恐竜とそれを狩る肉食恐竜の争い――が激しくなった。

肉食系では**ティラノサウルス**や**アルバートサウルス**のような食物連鎖の頂点に立つ捕食者が現れ、草食系では防御のための角を発達させた**トリケラトプス**のような角竜類、首から背中にかけて長い突起を生やした**アマルガサウルス**のような竜脚類、重厚な装甲を身にまとった**アンキロサウルス**など、双方に驚くべき形態の進化が見られた。

白亜紀の大量絶滅では、地球に存在する種の70％（陸生動物の90％、植物の50％）が消滅した。中央アメリカのユカタン半島に直径10キロの**小惑星が衝突**したのだ。世界的な地震、津波、大陸規模の森林火災、大量の酸性雨が降って、多くの生物が死滅した。舞い上がった塵が太陽光を遮断し、さらに植物が枯死し、生き残った草食動物が飢え、肉食動物がそ

アンキロサウルス

れに続いた。地上には腐敗した動植物の死骸が散乱し、それを餌とするハエやウジ、死骸を食べるその他の動物が群がった。昆虫やわずかに残った植物を食いつないで生きのびることができた鳥類や哺乳類は絶滅を免れたが、鳥類型以外の恐竜は滅んだ。その隙間を埋めて繁栄したのが哺乳類である。

この章で論じた6億3500万年前から6600万年前までの**多細胞生物の時代**では、全体として見れば複雑さは頭打ちで、さほど増加していない。進化と絶滅のダーウィン的ゲームは、この時点の宇宙では複雑さの頂点に達していたのかもしれない。

しかし、哺乳類が支配するそんな世界で、いくつもの偶然が重なった結果、「文化」というスピードの速い新たな進化の形態が出現し、複雑さをさらなる高みへ押し上げることになる。

CHAPTER 6

「恐竜のあと」に現れたものたち

PRIMATE EVOLUTIONS

恐竜が絶滅し、そのニッチを哺乳類が埋めた。

霊長類へと進化した人類の祖先は、現在の人間にも備わっているなじみ深い形質を備えはじめた。

人類は最後の共通祖先である大型類人猿から分岐し、二足歩行を始め、脳が大きくなった。

人類は世代を経るごとに、時間の経過とともに失われる情報以上に多くの情報を蓄積するようになった。

恐竜が消えた地球に起こったこと

6600万年前の地球は荒れ果て、寒く、乾燥していた。植物や動物の死骸が散乱し、太陽の下で朽ち果て、地表は埃や土の層に覆われていた。食物連鎖は崩壊し、大型生物は大打撃を受けて白亜紀の絶滅が起こっていた。カメやワニ以外では、鳥や哺乳類などの小さな生物が地に満ちていた。

生物の繁栄と衰退のサイクルは、それまでと同じように続いていた。環境の変化についていけなくなった生物が退場すると、哺乳類が急速に進化してその空隙を埋めた。

最初に登場した哺乳類はネズミやリスに似たもので、体長50センチ以下、体重1キロ以下のものがほとんどだった。植物を齧(かじ)り、虫を食べて生きていた。地面に穴を掘って隠れ、木々の中に身を潜めた。

生きのびた小さな哺乳類は、これまでの恐竜、竜弓類、両生類、節足動物などと同じように多様化し、地球の支配的地位に就くことになるだろう。物騒なダーウィンのサイクルは、複雑さを増すことなく、さらに何億年も続くはずだった。

しかし、このときはこれまでにはなかったことが起ころうとしていた。

6000万年前、気候がふたたび温暖化した。世界は暖かく、北アメリカとユーラシアは熱帯になった。地球の大部分が森林に覆われ、赤道付近には砂漠が広がった。極地にも、まったくといっていいほど氷がなくなった。そして哺乳類が大きくなりはじめた。

このころ、ゾウの祖先はイヌのサイズを超えるものではなかったが、のちに進化して世界最大の陸上哺乳類となった。同じころ、ゾウの祖先と同じような大きさの哺乳類が、獲物の肉を引き裂くことのできる鋭い歯を持ち、魚や赤身の肉を食べはじめた。4200万年前には、この捕食者はイヌ科とネコ科の特徴を持つ二つの系統に枝分かれした。前者はオオカミ、キツネ、クマ、後者はライオン、トラ、ジャガーの祖先だ。

5500万年前、ネコほどのサイズの小さな哺乳類が、周期的に水に足を踏み入れるようになり、やがてどっぷり水の中に身を沈めるようになった。それがカバとクジラの祖先だ。クジラの祖先は、海の中で過ごす時間をどんどん増やし、最初は浅瀬で過ごしていたが、のちに深く潜ってオキアミや魚をたくさん食べるようになった。4000万年前にはクジラへの変身が完了した。

サルからヒトへの進化の歴史

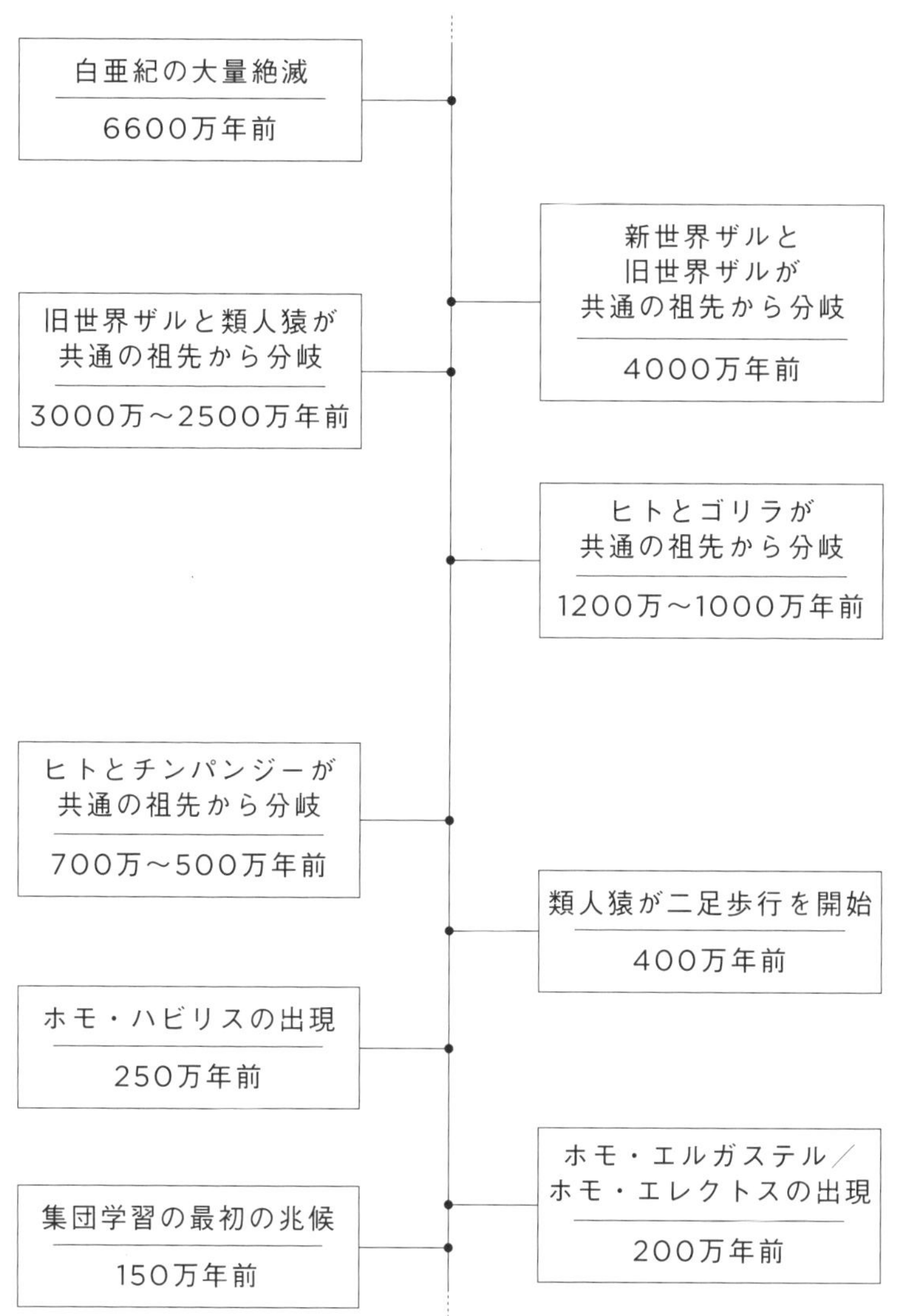

同じく5500万年前、ウマの祖先にあたる、イヌぐらいの大きさの生き物が森に現れた。複数の足指があり、木々のあいだや林床(りんしょう)の草むらを音をたてずに素早く移動した。やがて気候が冷え込み乾燥すると、ほかの指より強い第三足指(そくし)〔中指〕の力を使って、ますます走り回るようになった。やがて他の指は大きく後退し、ウマの特徴である蹄(ひづめ)が形成された。ウマは森を忍び足で歩くのをやめ、長距離を移動するようになった。

数千万年という比較的短い期間で、哺乳類は環境のニッチを満たし、小さなサイズから巨大化し、いま私たちが身近に感じているような数々の種へと進化していった。

樹上で「小さな動物たち」が生活しはじめる

——霊長類登場

霊長類も5500万年前に登場した。樹上に生息する小さな哺乳類というのが最初の姿だった。物をつかめる手と、顔の前面に両目があるのが特徴で、木から落ちるのを防ぐのに役立った。

二つの目が並んで前を向いていることで、枝から枝に飛び移る際に重要な立体視覚と奥行知覚を獲得し、その三次元情報を処理するために大きな脳が発達した。

一般的なチンパンジー（左／旧世界ザル）と
アカガオクロクモザル（右／新世界ザル）

南アメリカと中央アメリカに住んでいた霊長類は、4000万年前に広大な大西洋に隔てられたのち、そこで**新世界ザル**へと進化した。新世界ザルは鼻が平たく、左右の鼻孔が離れている。物をつかむのに便利な長い尻尾があり、一部の例外を除いて母指対向性〔親指がほかの指と向かい合う構造〕がない。また、一夫一婦制の関係が多く見られた。

逆に、**旧世界ザル**は、ほとんどの種で一夫多妻の関係が一般的であった。ほとんどの種で、メスは生涯母親のもとにとどまり、オスは成長するとメスを集めて**ハーレム**をつくり、強い威嚇行動でほかのオスを追い払った。

3000万〜2500万年前のアフリカで、旧世界ザルから大型類人猿の系統が分岐した。それがチンパンジー、ボノボ、ゴリラ、オランウータン、そしてヒトの祖先である。

霊長類には、いまも人間に残っている本能と、人間が捨て去った本能の両方がある。人間の本能を、その発生時までさかのぼって解明できれば、私たちの行動や社会のあり方の根底にある脳の傾向やメカニズムについて、多くのことが見えてくるだろう。

生き残るための「ゴリラ」の戦い

人間は、**1200万〜1000万年前**に、進化の系統上の祖先である**ゴリラ**から分岐した。ゴリラは猛々(たけだけ)しく見えるが、彼らが仕掛ける攻撃はほとんどが威嚇か誇示だ。威嚇だけでは効き目がない場合は力で自分を守ることもできるが、ゴリラの戦いは概して虚勢による戦いである。

ゴリラは**階層社会**を築く。その中で、メスは生涯同じ集団にとどまるのがふつうだが、オスは成人するとリーダー――背中が銀白色に変色するので「**シルバーバック**」と呼ばれる――に追い出される。追い出されたオスは、メスを含む集団を自分でつくるか、ほかのグループに乗り込んでシルバーバックの地位を奪取するまで、独身生活に甘んじることになる。

オスが厳しい競争にさらされることで、ゴリラには顕著な**性的二型**〔性別によって個体の形質が異なる現象〕が生じ、ゴリラのオスはメスより平均的にかなり大きい。オスのゴリラは自分のＤＮＡを優位にするために、自分の子ではない幼児を殺す傾向さえある。

メスはオスと関係を結び、わが子を嬰児殺しから守るためだけでなく、捕食者から自分の身を守ろうとする。血縁関係のあるメス同士は姉妹のような関係を保ち、お互いの利益と安全を守るために協力しあう傾向がある。そういう関係にないメス同士は、攻撃的に競いあう傾向がある。

オス同士は血縁関係があっても敵対しがちで、競争と敵意が生まれるのが一般的だ。ただし顕著な例外があって、メスのいる集団からシルバーバックによって追い出されたオスは、単独ではなく徒党を組んで行動し、追放された者同士で友好関係を結ぶ。グルーミングをしたり、じゃれあったり、ハーレムの形成を放棄して同性間のセックスを行うことさえある。

大きな脳を持つ「チンパンジー」の生き方

チンパンジーは、進化の系統上、現存する種の中では私たち人間にもっとも近い親戚だ。DNAの98・4%を共有している。

人間とチンパンジーは、**700万〜500万年前**に、共通の祖先から分岐してそれぞれに進化の道をたどった。

チンパンジーは人間より小さく、身長はだいたい100~120センチである。しかし、一般的に人間よりはるかに力が強く、攻撃的だ。脳のサイズは人間の3分の1しかないが、創意工夫、聡明さ、集団政治は言うにおよばず、その本能や行動には人間と多くの類似点がある。

チンパンジーは植物や昆虫を食べるが、コロブス亜科のサルを狩って肉を食べる姿が目撃されることもある。オスは食料を獲得するために群れで移動し、自分たちの縄張りをほかの集団から守ろうとする。この**縄張り意識**は、人間とチンパンジーが共通の祖先から受け継いだものと思われる。動物の縄張り行動は珍しくないが、縄張りを確保するために組織的に行動する点はほかの動物とは違う。

チンパンジーの集団は、ゴリラと違い、リーダーに率いられたオスの集団だけでなく、それに対応するかたちでメスの集団も構成されているのが一般的だ。そのメスの集団の中にも階層が存在する。

腕っぷしが強くて性格が攻撃的なだけではリーダーになれない。リーダーは支配を確実にするために、うまく立ち回って味方を確保しなくてはならない。マキャベリストであることも必要なのだ。そのため、ケンカは強くなくても、他を動かせる政治的センスの持ち主がリーダーになることもある。メンバーが示し合わせて暴力革命を起こし、リーダーを追い出すこともある。明らかに人間の政治に近いことが行われている。

メスのあいだにも確固たる序列があり、**支配と服従の関係**がある。序列の威光は子どもにもおよび、序列の高い母親の娘を攻撃すると、母親やその仲間から罰せられる。そのようにして、娘は自力で有力な同盟を結べるようになるまで守られる。親がだれであるかによってヒエラルキーの中で特権を得るのだから、そこには世襲的な原理が働いていると言える。

一方、オスの優位性は、メスのヒエラルキーに受け入れられるかどうかに完全に依拠している。メスに嫌われたらリーダーにはなれない。すでにリーダーなら、その座を追われ、新しいオスがリーダーの座に就くのを見ることになる。その構図には、エリート女性がソフトパワーを発揮した、近代以前の人間の歴史を感じさせるものがある（ローマ帝国の女王リウィア・ドルシラなどの名前が思い浮かぶ）。

ヒエラルキーの上位にいれば、交尾の相手や食料を優先的に獲得できる。チンパンジーのヒエラルキーはほかの霊長類に比べて明らかに複雑で、同盟を維持するのに必要な社会的関係を操るために**大きな脳**が必要になった。

多くの霊長類と同様、チンパンジーは**道具**を使う。木の枝を使って、アリを地面から釣り上げて食べる。石をハンマー代わりに使う。植物の葉をスポンジのように使って水を吸い上げる。枝を梃子（てこ）のように使う。バナナの葉で傘をつくることもある。

大人から子どもに伝授されるこうしたテクニックは、社会的学習の一種と見なすことができるし、文化の一形態とさえ言える。しかし彼らは、世代を越えてそのような発明を積み上げていくことはできなかった。それができていたら、500万年以上続くチンパンジーの〝アリ釣り〟は間違いなく産業の規模に達していただろう。

チンパンジーは**言語**を持っている。コミュニケーションはほとんどジェスチャーで行われるが、かぎられた範囲で声による意思疎通もできる。範囲がかぎられるのは、生理機能上、発声できる音の範囲がかぎられるのと、脳の容量による。人間の飼育下では、さまざまな文字や記号を記憶するほどすぐれた能力を発揮する。

チンパンジーには**暴力的**な側面もある。オスのチンパンジーは徒党を組んで自分たちの縄張りを徘徊し、単独行のチンパンジーを見つけたら襲いかかる。殴ったり蹴ったりするだけでなく、耳や顔の一部を食いちぎることも珍しくない。生殖器を引きちぎることさえあって驚かされる。

人間と違ってチンパンジーが戦争をすることはない。彼らは数を数えないし、巧妙な作戦を考えることもない。だが、自分の縄張りをパトロールして、見知らぬチンパンジーを見つけたらボコボコにして満足している。自分の集団の外にいる者に徒党を組んで暴力をふるうのは、間違いなく人間と共通する特徴である。

女性主導の「ボノボ」の社会

チンパンジーは男性主導で攻撃的だ。セックスの機会がヒエラルキーに従って分配されるからである。それと好対照なのが、チンパンジーの親戚の**ボノボ**だ（人間の親戚でもある）。

およそ**200万年前**、コンゴ川が形成されたことによって、チンパンジーの祖先が二つの異なる生息環境に分かれた。川の南に向かったチンパンジー（それがボノボとなった）は、まったく異なる習性を進化させた。**女性主導**のヒエラルキーの下で生活を営み、性行動が盛んになった。

身体的にはオスが強いことが多いが、ごくまれにオスがメスに攻撃的な態度を示すと、姉妹的結束で結ばれたメスたちが力を合わせてそれを阻止する。わめいたり叫んだりしてオスを追い払うこともある。オスの指を折ることもある。メス同士でも上下関係をはっきりさせるために暴力をふるうことがあるが、セックスの機会が潤沢にあるため、全体的な暴力の量は少ない。

霊長類では珍しいことだが、ボノボは顔を向き合わせてセックスをし、フェラチオやクンニリングスを行い、〝フレンチキス〟をすることもある。ボノボは性欲が強く、数時間おきに自慰をする。あいさつをするとき、緊張を和らげるために「**ボノボ・ハンドシェイク**」と呼ばれる方法で互いの勃起した性器に触れる傾向がある。

ボノボの集団では性行動が広く行われるので、そもそも男性が攻撃性を発揮しなくてはならない理由が少ない。二つの集団が森で出会うと、最初こそオス同士が少し緊張するかもしれないが、そのうち両方の集団のメスが相手の集団の見知らぬオスとセックスを始める。チンパンジーならケンカになるような集団間の緊張が、ボノボでは乱交で終わる。

それを知ると、人間がボノボよりチンパンジーに近いのは不幸なことのように思える。だが人間は、攻撃性や戦争や男同士の競争がある一方で、ボノボとも多くの性習慣を共有しており、戦争ではなく平和を求めて行動することもある（戦争に比べると〝ラブ&ピース〟のヒッピー的期間がごく短いのが残念だ）。

いったい、人間の性質のうち、チンパンジーと共通の祖先から受け継いだものはどれで、それとは関係なく、のちに人間の文化から生まれたものはどれなのだろう。

もし、人間社会の負の側面が、人間の脳が進化の過程で獲得した神経回路のせいなら、それを解消することはできないかもしれないが、文化的に形成された性質のせいなら、一世代か二世代の学習で捨て去ることができるだろう。そこで私たちは次の問いに答えなくてはならない。

チンパンジーと別の系統を歩みはじめてからの500万年で、人間はどんな進化を遂げてきたのか?

「アウストラロピテクス」が二足歩行を始める

500万年前、人類の祖先はまだアフリカの森の中に住んでいた。チンパンジーとの最後の共通の祖先は、ガニ股で歩き、腕を地面に突いて体のバランスを取っていた。開けた土地で長距離を移動するより、木に登って捕食者(アフリカにはたくさんいた)を避けるのに適した形態だった。
しかし**400万年前**、気候が乾燥し、森林が減少して、東アフリカに広く開けたサバンナが形成された。霊長類は、安全に身を隠せる木がなくなったうえに、食料を得るために

ルーシー（アウストラロピテクス。知られている中で最古の人間の祖先の１人）

森を出て遠くまで移動しなければならなくなった。その結果、私たちの祖先は立って歩くようになり、**二足歩行**へと進化した。

二足歩行を始めた最初の祖先である**アウストラロピテクス**〔ラテン語で「南のサル」の意〕は身長が低く、1メートルを少し超えるほどしかなかった。チンパンジーに似ているが、二足歩行という点が違っていた。おもに草食で、歯は堅い果物や葉などの植物を噛み砕くのに適した形をしていた（のちに肉も食べはじめたが、その形状は現在まで受け継がれている）。たまに動物の死骸から肉を取ったかもしれないが、生肉を消化する生理的能力はなく、調理のために火を操る術もまだ知らなかった。

二足歩行で**両手が自由になった**アウストラロピテクスは、多彩なジェスチャー（身振り手振り）を使えるようになり、言語の幅を広げた。コミュニケーションの大半は、唸ったり叫んだりする声によってではなく、ジェスチャーや顔の表情によって行われた。人類学者や心理学者の多くは、いまでも人間のコミュニケーションの大部分は、複雑な感情や精神状態を伝える微妙なジェスチャーによって行われていると断言している。

両手が自由に使えるようになったことで、アウストラロピテクスは道具を携帯し、あちこちに持ち運べるようになった。**言語の発達**と**道具の常時使用**によって、アウストラロピテクスには脳の容量を増やす進化の圧力が働いた。

石細工をつくった「ホモ・ハビリス」

250万年前、ホモ・ハビリス〔ラテン語で「器用な人」の意〕が登場した。アウストラロピテクスと比べて身長はそれほど高いわけではなく、脳も少し大きくなっただけだった。しかし知能と発明能力は向上していたようだ。ホモ・ハビリスは、石を叩いて薄片をつくり、それを使って物を切っていたことが知られている。

石の薄片をつくるのは簡単ではない。人類考古学者たちがその作業を再現しようと試みたが、なかなかうまくいかず、何度も試行錯誤する必要があった。相当な知性と意図、そして職人的忍耐力が必要だったことがうかがえる。

しかし、それにも限界があった。石細工は重要なブレークスルーだったが、ホモ・ハビリスが存在した100万年のあいだに、技術的な向上がほとんど見られないのである。たしかに発明はあった。しかし、その後多くの世代を数えたにもかかわらず、性能を向上させたり用途を多様化するような発明の蓄積はなかった。

社会の複雑さという点では、ホモ・ハビリスは間違いなくアウストラロピテクスやチンパンジーに似ていて、集団の規模はごく小さかった。

だが、200万年前、人口が増加したために集団同士が頻繁に衝突するようになった。そのたびに暴力沙汰になるのを避けるために、**同盟関係**の構築など、社会的関係を管理しなくてはならなくなり、脳に圧力がかかった。そのために使われた方法が、**贈与**や集団間の**結婚縁組み**であった。

とくに後者は、関わった両方の集団が遺伝情報を含むDNAの継続を願うので、平和維持の点で効果があった。進化人類学者は、アフリカの私たちの祖先が一夫一婦制に行き着いたのはおよそ200万年前のことだと推定している(新世界ザルのあいだではもっと昔から続いていていた)。

ホモ・サピエンス〔現在の人類。ラテン語で「知恵のある人」の意〕が一夫一婦制で成功することもあれば失敗することもあるという事実は——一夫多妻制や多夫一妻制、乱婚でも同じだが——時間をかけて進化してきた男と女の関係には一筋縄でいかない事情がある

郵便はがき

料金受取人払郵便

渋谷局承認

2087

差出有効期間
2025年12月
31日まで
※切手を貼らずに
お出しください

150-8790

130

〈受取人〉
東京都渋谷区
神宮前 6-12-17
株式会社ダイヤモンド社
「愛読者クラブ」行

本書をご購入くださり、誠にありがとうございます。
今後の企画の参考とさせていただきますので、表裏面の項目について選択・ご記入いただければ幸いです。

ご感想等はウェブでも受付中です（抽選で書籍プレゼントあり）▶

年齢	（　　　　）歳	性別	男性 ／ 女性 ／ その他
お住まいの地域	（　　　　）都道府県 （　　　　）市区町村		
職業	会社員　経営者　公務員　教員・研究者　学生　主婦 自営業　無職　その他（　　　　）		
業種	製造　インフラ関連　金融・保険　不動産・ゼネコン　商社・卸売 小売・外食・サービス　運輸　情報通信　マスコミ　教育 医療・福祉　公務　その他（　　　　）		

①本書をお買い上げいただいた理由は？
（新聞や雑誌で知って・タイトルにひかれて・著者や内容に興味がある　など）

②本書についての感想、ご意見などをお聞かせください
（よかったところ、悪かったところ・タイトル・著者・カバーデザイン・価格　など）

③本書のなかで一番よかったところ、心に残ったひと言など

④最近読んで、よかった本・雑誌・記事・HPなどを教えてください

⑤「こんな本があったら絶対に買う」というものがありましたら（解決したい悩みや、解消したい問題など）

⑥あなたのご意見・ご感想を、広告などの書籍のPRに使用してもよろしいですか？

1　可　　　　2　不可

※ご協力ありがとうございました。

【早回し全歴史】116838●3110

ことを物語っている。

霊長類が互いのつながりを深め、同盟を結ぶもう一つの方法は、**グルーミング**だ。相手の毛についた虫や汚れを取ってあげる作業のことで、4000万年前までさかのぼる旧世界ザルと新世界ザルの共通の祖先の時代から行われていた。しかし集団に属するメンバーの数が増えると、全員の毛づくろいはしたくても時間が足りなくなった。そこで登場したのが〝噂話〟や〝雑談〟だ。

ホモ・ハビリスは、言葉を話すには声の音域がかぎられていたが、ジェスチャーによってある程度のコミュニケーションができた。ハミングによって快い感情を、呻(うめ)き声や怒鳴り声で不快感を伝えることもできた。このような**社会化**は生存のために有利なので、コミュニケーション能力を向上させる方向に選択的な圧力が働いた。

その能力は**性淘汰**〔異性を獲得するのに有利な形質が子孫に伝わることで生じる進化〕によって強化された可能性がある。メスが魅力的で説得力のある表現ができるオスを選んだかもしれないからだ。チンパンジーと祖先を共有していた500万年前から今日まで、異性を優先的に獲得できるのは、ほかのメンバーと同盟関係を結べるオス、集団の中で上位に位置するオスである。

社会の複雑化に対応するためにはコミュニケーション能力を強化させなくてはならず、その要請が脳の成長に大きな影響を与えた。それが形になって現れたのが、私たちの次の主要な祖先である。

火を使い、肉を焼いた「ホモ・エレクトス」

200万年前、霊長類は**ホモ・エルガステル**〔ラテン語で「働く人」の意〕と**ホモ・エレクトス**〔同「直立する人」の意〕へと進化した。

一見よく似ているが、両者を単一の種に分類することについては議論がある。ホモ・エルガステルはアフリカに存在した最古の種を指し、ホモ・エレクトスは旧世界〔アフロ・ユーラシア大陸およびその周辺島嶼部〕進出を果たした種を指すのが一般的だ。簡略化のため、本書では両方をホモ・エレクトスと呼ぶことにするが、分類学上の議論に対して、何らかの見解を表明しているわけではないことをお断りしておく。

ホモ・エレクトスはホモ・ハビリスより背が高かった。二足歩行のテクニックを完成させており、明らかにホモ・ハビリスより長距離を楽に移動することができた。実際、二足歩行のスタミナとスピードにおいて、現在の人間に匹敵する能力を有していた。顔立ちも、

ホモ・エレクトス

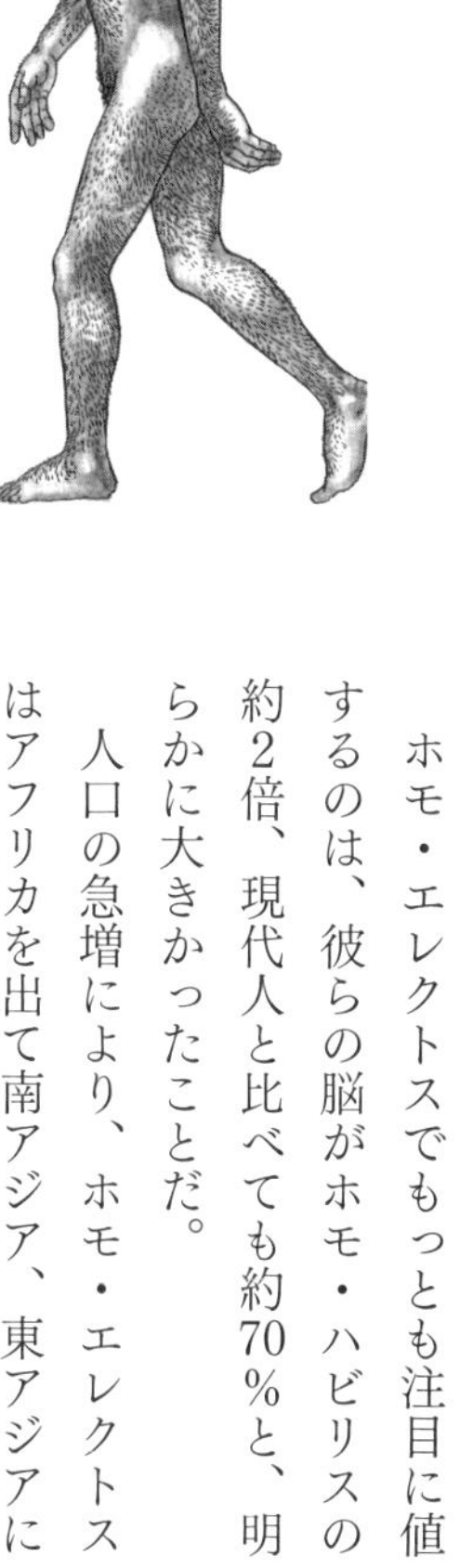

それ以前の種よりはるかに人間に似ており、服を着てバスに乗っていたら、だれも気づかないかもしれない。

体毛はそれ以前の霊長類に比べるとかなり少なく、皮膚のメラニン色素によってアフリカの厳しい日差しから身を守った。遺伝上の表現型に関するかぎり、ホモ・エレクトスはきわめて人間に近かった。

ホモ・エレクトスは、それ以前の種より大きな社会集団を形成して生活し、ほかの集団と遭遇する機会も多かったという証拠がある。**火を扱う**ことができ、**肉を調理**して食べることができたという証拠もある。肉を食べることは脳の発達にとって重要である。一口の肉で、かなりの量の植物より多くのエネルギーを摂取できるからだ。

ホモ・エレクトスでもっとも注目に値するのは、彼らの脳がホモ・ハビリスの約2倍、現代人と比べても約70%と、明らかに大きかったことだ。

人口の急増により、ホモ・エレクトスはアフリカを出て南アジア、東アジアに移動した〔**出アフリカ**〕。砂漠にも、森林にも、海岸にも、山岳地帯にも適応した。

これほど適応力があったのだから、間違いなく知能も高度だったはずだ。彼らは旧世界全域に進出した最初の種となり、何十万年も存在しつづけた。

「新しい能力」が現れた
――集団学習というブレークスルー

200万年前にホモ・エレクトスが登場してから何万年ものあいだ、彼らが使った道具類に技術的な改良はほとんど見られなかった。**178万年前**に、ホモ・エレクトスは東アフリカで新しい種類の**涙滴型斧**（ティアドロップ・アクス）を発明したが、まったく偶然の産物だった可能性がある。その後の数万年間、この道具に手を加えることも、改良することもなかったからだ。

その点ではホモ・エレクトスも、それ以前の道具を使うすべての霊長類と同じだった。チンパンジーも、アウストラロピテクスも、ホモ・ハビリスも、新しい道具を考え出し、それを子孫に伝える能力があったが、世代を重ねるなかで技術を改良することはできなかったのである。

ところが**150万年前**、東アフリカのホモ・エレクトスが画期的な能力を身につけた。

多くの遺跡に、その最初の痕跡を見ることができる。彼らは手斧の品質を向上させ、それをツルハシや大包丁、その他の道具につくり変えて、さまざまな用途に使いはじめたのである。

これは私たちのストーリーにおいてきわめて重要な意味がある。それは、現世代から次世代へと、手を加え、革新を積み重ね、技術を向上させていく人間の能力の最初の兆候であった。

この能力を「**集団学習**」(collective learning)と呼ぶ。

これがなぜ重要なのか?

一人の人間が発明できることには限りがある。だとすると、人間という種は、生物学的進化によって変化するまで、何万年も同じような状態にとどまることになる。道具を使いはじめたとしても、複雑さは歩みの遅い自然選択のプロセスから抜け出すことはできない。

しかしホモ・エレクトスは、既存の技術に手を加えて改良し、それまでの生息地を出て世界中に進出していった。

これは、大きな遺伝的変化や進化がなくても何か新しいものが生まれ得ることを示している。つまりこの種は、もはや生物学的進化や残酷なダーウィン的世界と関係なく複雑さを高められるようになったのだ。

ホモ・エレクトスは「**文化の領域**」に、ためらいがちに最初の一歩を踏み出した。そこは生物学的進化よりも速いスピードで集団学習による複雑さの生成プロセスが疾走する世界。そこを通る道は、曲がりくねった古い道の上に敷かれた高速道路だ。

この時点ではまだ、集団学習は進化の旅を始めたばかりだ。しかし、そのか細い水の流れがやがて洪水となる。

第3部

文化の時代

31万5000年前～現在

狩猟採集民

CHAPTER 7

大移動する「ヒト」たち

HUMAN FORAGERS

進化の長い道のりの中でホモ・サピエンスが出現し、それまで考えられなかったほどの集団学習が始まった。

人類はその歴史の圧倒的大部分の時間を狩猟採集民として生きた。

人類誕生から今日までに生きた1000億人のうち、約250億人が狩猟採集社会で生活した。

突如生じた遺伝的ボトルネックにより、人類の遺伝子の多様性は1万人以下にまで激減した。

その後まもなく、人類は世界中に広がっていった。

「蓄積」がすべてを変えた

「**蓄積**」。このシンプルな一つの言葉が、**ホモ・サピエンス**とそれ以外の種を分かつ違いをもっともよく表している。情報を蓄積する能力である。人間は、忘れ去ることより多くのことを次世代に伝え、世代を経るごとに保有する情報と知識の量を増やしていく。それを**集団学習**と呼ぶ。

人間が今日の地位を築いたのは、天才ぞろいだったからではない。そんなことは、政治家や有名人、あるいは周囲にいる人の顔を思い浮かべればすぐわかる。野生の環境で生まれて一人で育ったら、人間も動物も大差ないかもしれない。人が一生のうちに発明できるものはそれほど多くない。生き残るためだけでも忙しいのだ。人類の歴史の大部分を通じて、ほとんどの人がそんな状態で生きてきた。

しかし、何世代にもわたって一つひとつ蓄積された小さな発明によって、人類は生物圏の中で新奇でユニークな存在となった。積み木を高く積むように、ゆっくりだが確実に発明は積み重なり、数千年かけて複雑さは劇的に変化した。進化論的な時間のスケールで考えれば、人間は一瞬にして石器時代から超高層ビルの時代に進化したと言える。それが集団学習の力である。

アイザック・ニュートンは、重力に関する自身の研究成果について、自分は巨人の肩の上に立っているにすぎない、と語った。先人の知恵を借用する言い訳と捉えることもできそうだが、実際のところ「巨人」とは、人類の歴史に現れた何千何百万もの発明家たちのことだ。

一つずつは小さなイノベーションだが、それを積み上げることのできる能力が――持って生まれた脳の力、言語能力、抽象的思考能力以上に――人間をユニークな存在にしている。

私たちは過去の出来事を詳しく記憶する比類なき才能がある。つまり歴史を記憶する能力がある。

「集団学習」が強化されていく

ホモ・エレクトスは、**150万年前**に初めて集団学習の兆候を示した。数万年もかけて石斧にわずかな改良を加えただけの、ごくささやかな一歩ではあったが、集団学習の能力が、種を進化させる能力の一つとして登場したのである。集団学習の能力が生存に役立つなら、自然選択のメカニズムによって、このスキルは強化されながら受け継がれていくはずだ。

ホモ・アンテセッサー〔ラテン語で「先行する人」の意〕は**120万年前**に出現し、ヨーロッパに大量に移住したが、慣れない極寒の環境に対応するためにイノベーションを実現する必要に迫られた。身長や体重はのちに登場するホモ・サピエンスとほぼ同じだが、脳はやや小さく、言語の形態もかなり限定的であった。

約70万年前にアフリカに現れた**ホモ・ハイデルベルゲンシス**〔名称は発見されたドイツの地名ハイデルベルクに由来〕は、ゆっくりとヨーロッパと西アジアに広がっていった。脳はさらに大きくなり、いまの人類の脳の平均サイズの下限あたりに相当する。現代人と同様、発話の中の音を聞き分けることができる鋭い感覚を持ち、複雑なコミュニケーションが成立していたと思われる。

ネアンデルタール人は**約40万年前**に出現し、脳のサイズは現代人並みだったようだが、抽象的思考（そこに実際には存在しないものについて考え伝達すること）の能力はかぎられていたようである。

人類の祖先の移動経路

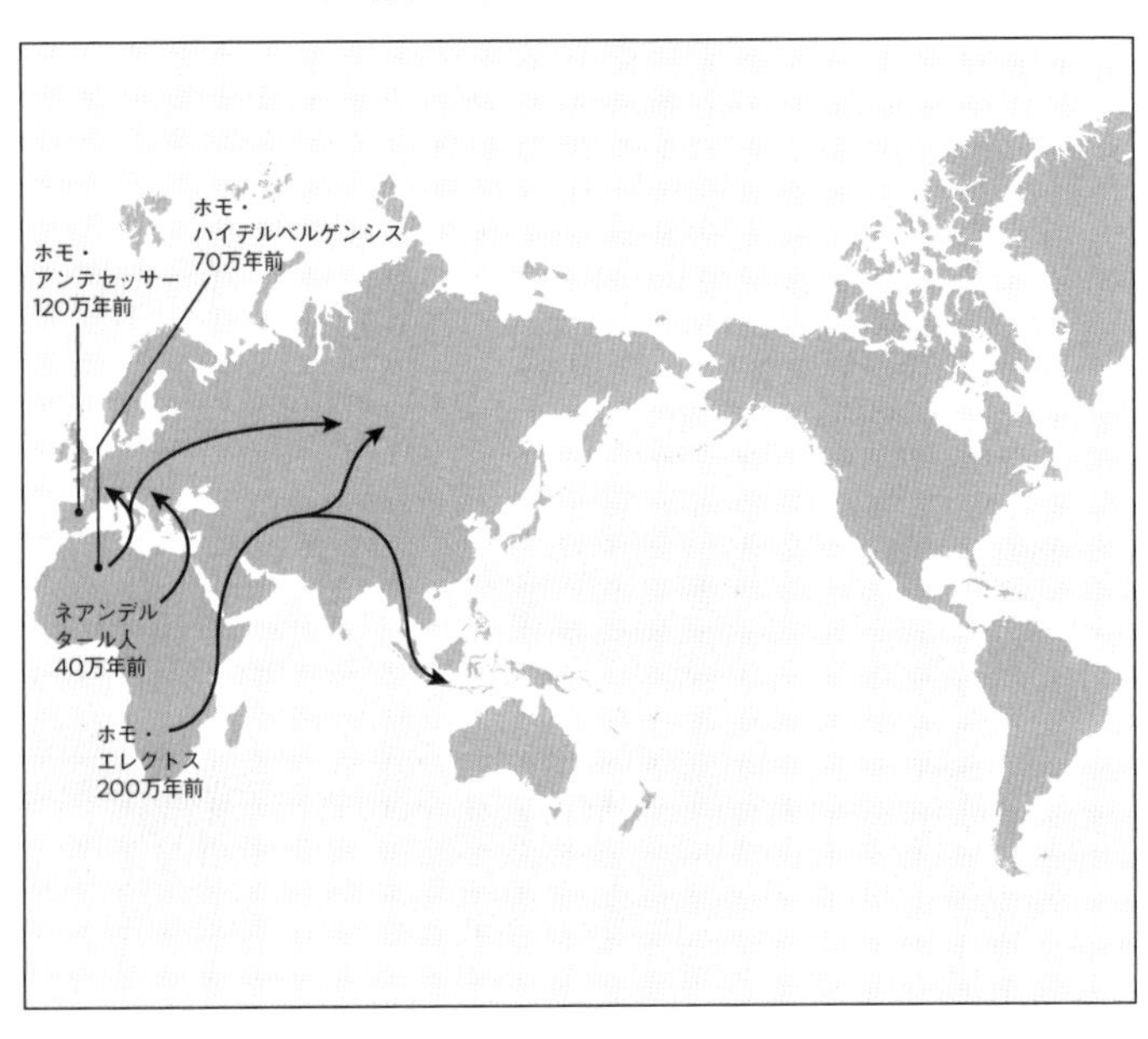

ホモ・アンテセッサー、ホモ・ハイデルベルゲンシス、ネアンデルタール人のすべてに、集団学習の兆候がはっきり見られる。はじめて場所を決めて火を使い、石刃（せきじん）、木の槍、石を木に固定した複合道具などを体系的かつ日常的に使うようになった。

ホモ・ハイデルベルゲンシスはユーラシア大陸全域に定着した最初のヒト亜科〔哺乳綱霊長目（サル目）ヒト科の亜科〕となった。

ネアンデルタール人は、寒さから身を守り熱を逃さないために、衣服やその他の文化的イノベーションを実現して寒冷な気候に適応した。

彼らは石の芯を使って、錐（きり）、掻器（そうき）

（掻き取ったり、削り取ったりする石器）、木の持ち手のついた手斧など、さまざまな複雑な道具をつくり、数え切れないほどの変更や改良を行った。旧世界のいたる所でこのような発明と応用の形跡が見られるのは、集団学習の能力が進化し、強力になっていることの明らかな証拠だ。

「ホモ・サピエンス」は何が違うのか？

そして**31万5000年前**、アフリカに、現生人類であるホモ・サピエンスと解剖学的に同種の人びとが初めて登場した。

ホモ・アンテセッサー、ホモ・ハイデルベルゲンシス、ネアンデルタール人は絶滅したのに、ホモ・サピエンスが絶滅しなかったのはなぜか？　それは、ホモ・サピエンスがもっとも集団学習に長けていたからにほかならない。

たとえば、ネアンデルタール人が住んでいる地域に進出したホモ・サピエンスは、資源の奪い合いに勝ち、おそらく多くのネアンデルタール人を殺し、かなりの交雑を行った（アフリカ以外の地域では、現在の人間のＤＮＡにネアンデルタール人の遺伝子が含まれている）。

ホモ・サピエンスにはもっとも進んだ集団学習の能力、もっとも多様な道具類、そしてもっとも大きな環境適応力があった。

ホモ・サピエンスは**大きな脳**を持ち、**言語能力**が高く、**抽象的な思考**ができた。それは、洞窟画を描き、ボディペイントを行い、音楽を楽しみ、装飾的なビーズを身につけ、記号を使って考えていた痕跡からうかがえる。

こうした能力と集団学習の能力が合わさり、**狩猟採集**によって旧石器時代の過酷な環境を生きのびるのに必要な知識を蓄積することができたのだ。

「人口」と「接続性」が変化を加速させる

集団学習には主たる推進力が二つあり、それが大きくなるほど学習が強化される。

1 **人口**。すなわち、潜在的なイノベーターを生み出す母集団の人数。すべての人が生きているあいだに技術やルール、思想の改良を思いつくとはかぎらない。しかし、人口が多ければ多いほど、だれかが何か——小さなものであれ大きなものであれ——を生み出す確率は高まる。

2 **接続性**(コネクティビティ)。過去のアイデアの上に新しいものを構築するには、まず過去のアイデアを知る必要がある。これは、口承または文字による知識の伝承、またはその知識を持つ人間との対面でのコミュニケーションのいずれかによって可能になる。あるいはそういう人との共同作業も必要かもしれない。

インターネットを介した瞬時のコミュニケーションと、アレキサンドリア図書館のような膨大な知識がスマートフォン一つで得られる今日、接続性の制約がイノベーションを妨げるという状況を想像するのは難しい。しかし人類の歴史の大部分において、イノベーションを阻(はば)む最大の要因の一つは、知識のプールにアクセスできなかったことである。人類が誕生してから最初の30万年間、私たちのコミュニティはどれも、狩猟採集によって命をつなぐ数十人の集団でしかなかったのである。

これから述べるように、人類の歴史の大部分は人口の増加と接続性の強化、そしてその結果として変化が加速していく歴史であった。現在から過去に1万年さかのぼっても、いや10万年さかのぼっても、人間は生物学的にほとんど変化していない。だが、その間に人間の生活様式は大きく変化し、あらゆるものが加速度的に進化している。

ところで、どうしてホモ・サピエンスが出現した時期がわかるのだろう?

まず、1967年から74年にかけて東アフリカで発見された**オモ遺跡**〔エチオピア最南部の化石人類遺跡〕がある。そこで発見された骨のうち、解剖学的にホモ・サピエンスと一致する最古のものは、放射年代測定によって19万5000年から20万年前のものであることがわかった。

さらに2017年、モロッコでホモ・サピエンスの遺骨が発見され、31万5000年前かそれ以前のものと判明した。

そういうわけで、現時点では31万5000年前というのが、私たちが属する種が登場した時期として広く受け入れられている。もちろん新たな発見があれば、この年代はさらに昔にさかのぼる可能性がある。

31万5000年前の登場以後のどこかで、ホモ・サピエンスの知性や集団学習能力が著しく高まるような遺伝子レベルの変化が急激に起こったとは考えにくい。だが彼らは、30万年前にはボディペイントを行い、12万年前には釣りをし、10万年前には新しい素材を採掘し、6万4000年前の**第二次大移動**〔後述〕以前にはアフリカで装飾用ビーズを使っていた。

なぜそんなことができたのか？

人類の大移動の歴史

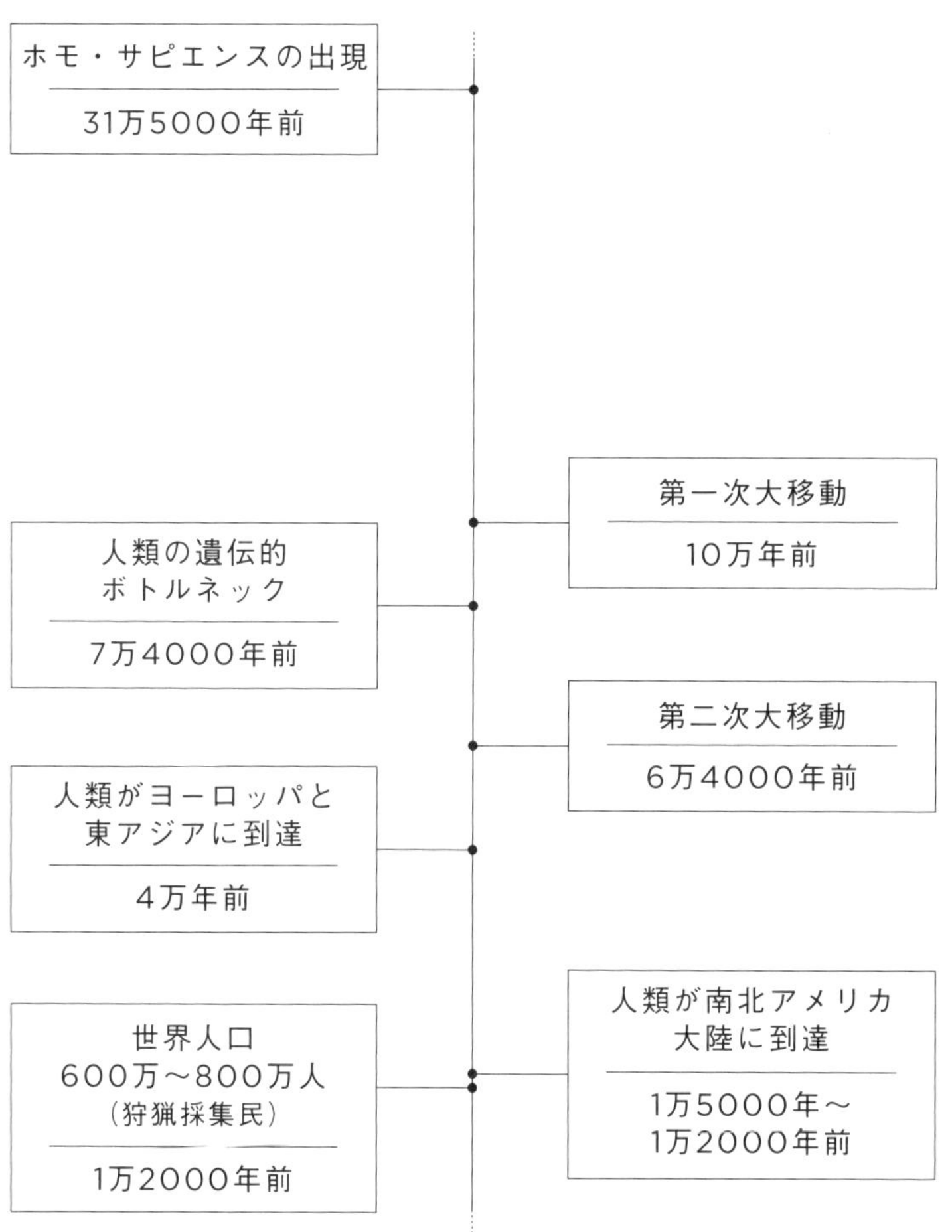

ホモ・サピエンスの出現
31万5000年前
第一次大移動
10万年前
人類の遺伝的
ボトルネック
7万4000年前
第二次大移動
6万4000年前
人類がヨーロッパと
東アジアに到達
4万年前
人類が南北アメリカ
大陸に到達
1万5000年〜
1万2000年前
世界人口
600万〜800万人
（狩猟採集民）
1万2000年前

解剖学的に現生人類と同一のホモ・サピエンスが31万5000年前に誕生し、その後は何万年ものあいだ、ごくわずかな遺伝的変化しか起こらなかった。肌の色、髪の色、目の色、そして乳糖耐性やアルコール耐性などには変化があったが、ホモ・サピエンスが別種または亜種に進化したと言えるほど大きなものではなかった。にもかかわらず、文化的に大きな進化を遂げているのはなぜだろう。

「巨型動物」がうろつく世界での狩猟採集

ホモ・サピエンスの登場によって、人間の歴史が始まった。人間の歴史の大部分——人類発祥から現在までの時間のおそらく95~98・5%——において、人間は小さな群れをつくり、遊動しながら狩猟と採集を行って生活していた。

ここから先のストーリーに登場する人びとは、解剖学的には現代に生きる私たちと同じであり、私たちと同じような感情や発明の能力を備えた人びとである。

そのため、それ以前に生きていた人びとのことより、何を考え何を思ったかを想像しやすい。彼らは私たちだ。あなたも私も、この時代に生まれていたら、彼らと同じように行動しただろう。

だが、彼らと私たちのライフスタイルはまったく違う。**狩猟採集生活**を送っていた私たちの祖先が生きていた時代、地球は**氷河期**に突入しており、サーベルタイガーから体長3メートルもある肉食系カンガルーまで、恐ろしい巨型動物たちが幅を利かせている世界だった。別の惑星とまでは言わないが、まったくの別世界だったのである。

人間の歴史が始まった**31万5000年前**から現在まで、1000億人が生き、そして死んでいった。そのうち農耕の開始（1万2000年前）から産業革命（250年前）までが550億人、産業革命から今日までが160億～200億人だ（そのうち約80億人は現在生きている）。合計すると、農耕の開始から今日までに、1000億人のうち710億～750億人が生まれ、そして死んでいったことになる。

ということは、人類が誕生してから農耕を開始するまでに――つまり狩猟採集時代に――およそ250億～290億の人びとが生きたことになる。

およそ30万年というこの期間の大半、ほとんどの人類は**アフリカ**に住んでおり、相当数の人間がほかの地域に住むようになったのは、10万年前から6万4000年前にかけてのことだ。その間のどの時点を取っても、狩猟採集では地球は600万～800万の人間しか養えなかったことがわかっている。旧石器時代の圧倒的大部分の期間、私たちの人口は50万人よりずっと少なかったのだ。

生物学的にも本能的にも、人間は狩猟採集のライフスタイルにもっとも適している。私たちの脳と体はそのように配線されているのだ。農耕が発明されてから今日までの1万2000年間で、ありとあらゆることが変化しているが、私たち自身の脳や体が進化してその変化に追いつけるほどの時間は経っていない。

要するに、私たちはおしゃれな服を着た原始人なのである。

人類は「氷河期」を生きのびた

過去250万年で、地球は何度も冷却と温暖化の波を経験した。長い氷河期があり、そのあいだにいわゆる**間氷期**(かんぴょうき)もあった(現在も間氷期)。

31万5000年前にホモ・サピエンスがアフリカに現れてから現在までを見ると、2回または3回の氷河期があった。氷河期には、北アメリカ、ヨーロッパ、アジアの広い範囲が氷に覆われ、地球の平均気温が下がり、それまで緑豊かだったそれ以外の地域(アフリカなど)が乾燥し、海面が下がった。

最終氷期極大期の世界（白い部分は氷床もしくは氷河）

19万5000年前、アフリカにホモ・サピエンスが生存していたころ、最後から2番目の氷河期が始まった。この氷河期は6万年続き、13万5000年前から間氷期が始まった。間氷期は2万年しか続かず、11万5000年前頃に終わった（間氷期は一般的に氷河期より短い）。

最後の氷河期はとくに長く、11万5000年前に始まって10万年余り続いた。

人類がアフリカを出て地球を横断したのは、そんな時代のことであった。

最後の氷河期の最盛期〔**最終氷期極大期**〕には、陸地の約30%が氷に覆われた。氷床が広がらなかったところでは、寒冷化によって森林が林地や砂漠に変わった。冬は現在の冬より長く続いた。11万5000年前、人類のほとんどはアフリカに住んでいたが、そこは現在よりはるかに寒さが厳しかった。

「火山大噴火」で人口が激減する

――遺伝的ボトルネックからわかること

ホモ・サピエンスが狩猟や採集を行う方法は何万年も変わらなかった。遊動しながら獲物を狩り、食べられる植物を採取する。食べられるものがなくなったら別の場所に移動し、そこで同じことを行いながら、それまでいた場所の自然回復を待つ、というものだ。このような狩猟採集では、地球の陸地全体で600万～800万人しか生きることができない。

アフリカで人口が増えるにつれ、より多くの食料が必要になった。彼らが選んだ解決策は、アフリカの中で食料探しに励むことではなく、アフリカの外に出て、はるか遠くまで食料を探す場所を広げることだった。

それが**10万年前**の**第一次大移動**につながったのだろう。アフリカを出たホモ・サピエンスは中東に到達した。インドまで到達したことを示す痕跡も残っている。これらの地域はまだ氷床で覆われていなかったのだ。大移動ではあったが、人類の大半はアフリカにとどまった。

DNAの変化を調べると、人類の遺伝的多様性は**第二次大移動**以前に劇的に縮小していることがうかがえる。考えられる理由の一つは、**7万4000年前**にスマトラ島（現在のインドネシア）のトバ火山で起こった超巨大噴火である。当時火山があった場所は、いまはカルデラ湖になっている。

トバ火山の爆発は、広島型原爆なら150万発分の威力、あるいは、いま世界が保有する核兵器の総和の少なくとも3倍の威力があった。この噴火は、未曾有（みぞう）の量の岩石を空に吹き上げ、瓦礫（がれき）とマグマを大陸規模で撒き散らした。

南アジアと東アジアを覆い尽くした火山灰の層は、平均15センチもの厚さになった。火山灰はインド、アラブ、さらに東アフリカまで降り積もった。大量の火山灰が大気中に放出され、すでに氷河期に突入していたこの時期、空は暗くなり、太陽光が遮られた。

その結果、地球全体が10年間にわたって冬になった可能性があり、人口は1万人まで減少したかもしれない。3000人程度にまで減っていた可能性もある。

最近の10年、この**トバ・カタストロフ理論**〔トバ火山の大噴火が人類の進化に大きな影響を与えたという学説〕には何人かの科学者が異議を唱えている。人類のDNAに見られる明らかな**遺伝的ボトルネック**について、いつか別の有力な説明が登場するのだろうか。そうなれば本書の第二版が必要になる。

ともあれ、この遺伝的ボトルネックから人種について重要なことがわかる。ひとことで言えば、現在の人類は、わずか数万年前以後、せいぜい1万人程度の人びとから増え広がっていったということである。

これは民族間にはっきりとした遺伝的差異が生じるほどの時間ではない。実際、ほかの霊長類と比べると、現在の人類は遺伝的多様性がきわめて低い。チンパンジーなら数百マイルしか離れていない二つの集団のあいだでも、全人類より大きな遺伝的多様性がある。人類のすべては、近親交配種とまではいかないが、かなり近縁の種なのである。

徒歩と筏で世界中に移動する

6万4000年前、人類はアフリカ大陸を出る2度目の大移動を開始した。わずか数千年で、アフリカから中東を経て、インド、インドシナにまで到達した。およそ6万年前までに、人類は当時のインドネシアにあった陸橋（氷河期で海面が低下したために出現）を利用して、徒歩と筏(いかだ)でオーストラリアに渡る方法を考え出したのである。

石器時代の航海は簡単ではなく、人類が狩猟採集のためにオーストラリアに進出したことは、月面着陸にも匹敵するほどのことだった。その後、人類は2万年かけて徐々にオーストラリア全土に広がり、いまから4万年前には別の陸橋を渡ってタスマニアに入った。

20万年前〜1万2000年前の人類の移動

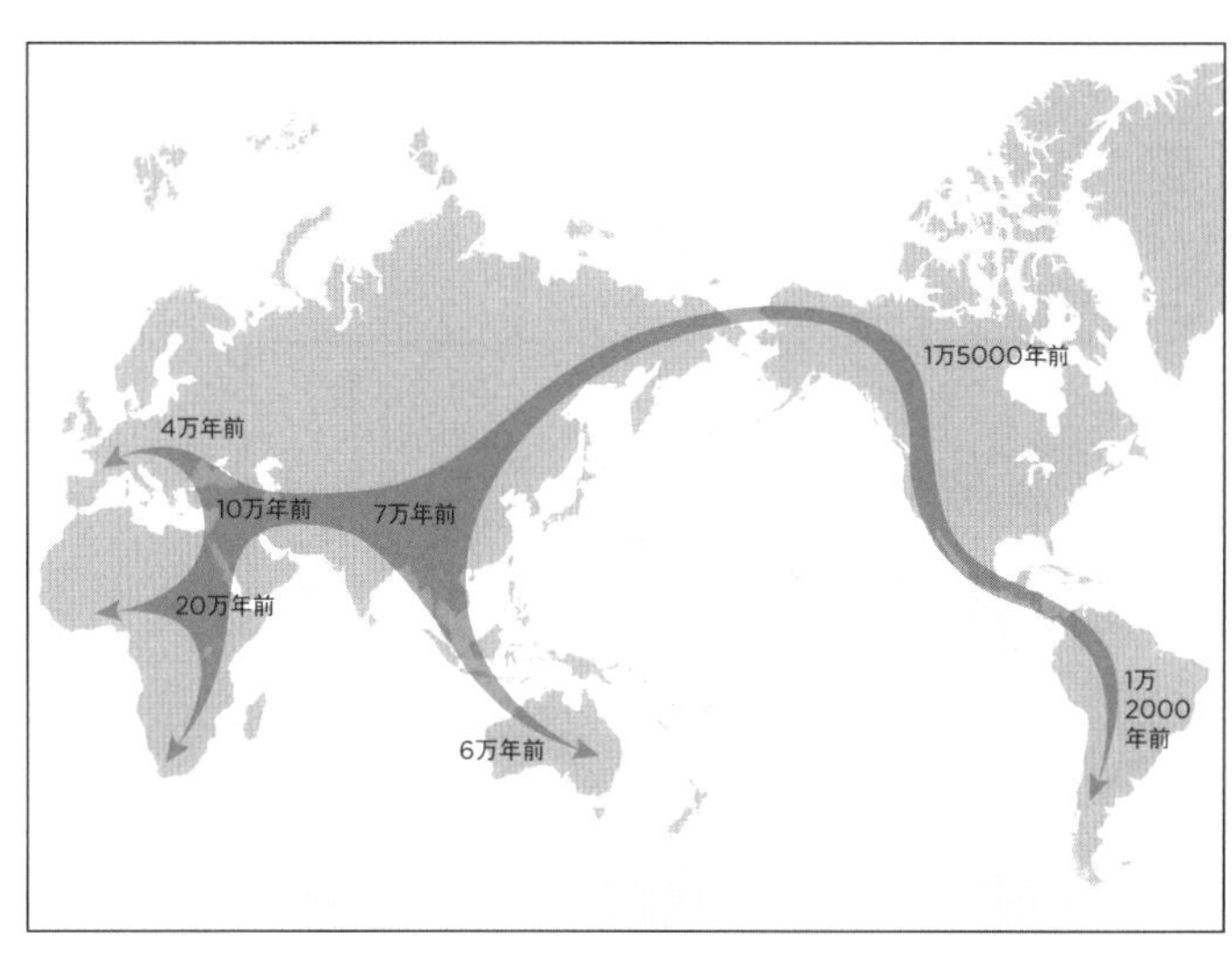

やはり**約4万年前**、人類はより寒冷な気候の北へ向かい、**コーカサス山脈**を越えてロシアに入り、すぐに東からヨーロッパへと進出した。

驚かされるのは、人類はさらに寒冷地へと進出し、遅くとも**2万年前**には氷河期のシベリアに到達していたということだ。そんな環境下で生き残るには、どんなサバイバル術が必要だったことだろう。

南北アメリカ大陸に人類が入ったことについては、推測を交えた記述にならざるを得ない。人類がどのようにしてそこに到達したのか、正確なことはわかっていない。2万年前から1万5000年前までのあいだに、シベリアとアラスカのあいだにある**ベーリング海峡**（当時はまだ陸橋だった）

を渡ったことは間違いなさそうだ。おそらく獲物である動物の群れを追って横断したのだろう。

だが氷河期のアラスカは巨大な氷床で覆われており、人類はアラスカを越えて移動することができなかったと思われる。考えられる仮説は、1万5000年前から1万2000年前にかけて氷床が後退したとき、食料を求める狩猟採集民たちの前に、北アメリカ大陸を南下して南アメリカ大陸に向かう経路が生まれたというものだ。もう一つの仮説は、氷床を迂回して太平洋岸をゆっくりと筏で下ったというものだ。あるいは、二つの仮説の両方が起こったのかもしれない。

いずれにせよホモ・サピエンスは、南北アメリカ大陸に生息するヒト属の最初で唯一の種となった。

現代人は狩猟採集民の本能で生きている

人類は狩猟採集生活に問題なく適応できていた。なんと言っても31万5000年前からそれで暮らしていたのだし、それ以前のヒト科の動物も狩猟採集によって命をつないできたのだ。

だが、狩猟採集時代の人類は、つねに遺伝子の継続を絶たれてしまいかねない危険にさらされていて、それに対処しなくてはならなかった。そのため、人間の本能もそうした対処のために都合がいいように進化した。つまり、人間の本能は多くの点で、狩猟採集生活をする小さなコミュニティでの生存に都合がいいようにできているのである。

たとえば**社交不安**のことを考えてみよう。現代の都市生活においては、人前で話をしたり最初のデートをするときに不安や緊張を感じる理由などない。街には何十万、何百万もの人がいる。百人の前でうまく話せなかったとしても、デートでしくじったとしても、明日また別の人を相手にふたたびチャレンジすればいいだけのことだ。

だが旧石器時代はそうではなかった。狩猟採集民は数十人で集団をつくり、生涯を共にした。そこでまずいことをしたら仲間はずれにされ、食べ物も配偶者も得られなくなるかもしれない。すごく嫌われたら集団から追放されるかもしれない。また、将来の伴侶となるかもしれない相手とのデートでヘマをしたら、そのことが集団に知れわたり、あなたのDNAは遺伝子プールから永久に排除されてしまうかもしれない。

密接な関係で結びついた小さな階層社会に存在するこのような危険は、じつに500万年前のチンパンジーとの最後の共通祖先までさかのぼることができる。

そう考えると、社会的関係を意識する場面で動揺してしまうという本能は、進化論的にはもっともなことだと言える。人間の数々の本能はそのように進化してきたが、現代社会には不向きなものも多いようだ。

「男と女」の複雑な力関係

狩猟採集社会では、**性的二型**〔152ページ参照〕によって、男は狩りをし、女は採集をした。

ただし、いまも狩猟採集生活をしている集団についての過去2世紀にわたる研究から、男と女で仕事が完全に分かれていたわけではなく、重複もあっただろうということはわかっている。狩猟に必要な運動能力や専門知識を持っている女もいただろうし、採集に必要な植物の知識を持っている男や、老いや病気のために狩猟ができない男もいただろう。現代人でも仕事の好みは人それぞれであるように、当時も、狩猟が好きな女がいたり、採集が好きな男がいたかもしれない。

しかし、それはあくまでも例外で、一般的には女性は採集をし、男性は狩猟をした。このパターンは少なくとも200万年前までさかのぼることができる。

狩猟採集民は、食べ物の平均60％を女性が行う採集によって得ていた。これは男性が行う狩猟は成果の変動が大きいためで、何日も肉を食べられないこともあれば、一度にたらふく食べられる大当たりもあった。この割合から、狩猟採集社会の男と女は、政治的な権力や役割は完全に平等ではなかったとしても、同等程度の支配力を持っていたと解釈する社会理論家もいる。

しかし、その考えは狩猟採集社会についての現代の研究結果と矛盾している。また、性的二型の事実や、男が女に対しても男同士でも暴力的であるという事実を考慮に入れていない。要するに、女が木の実や野いちごをたくさん持ち帰っても、男に石で頭を殴られたらそれまでだった。

人間社会の権力の階層は、いまも昔も生産力だけで決まるものではない。もしそうなら、中世は農民階級が支配していたことだろう。権力は**強制力**、**伝統**、**集団の忠誠心**によっても決まるのである。

もっとも、狩猟採集社会を単純に男と女に二分して論じることもできない。低位の女は低位の男より高く評価された。女が男に暴力をふるってもほとんど問題なかったが、男は女を侮辱しただけでも、ほかの男たちに殺される可能性があった。

例外は集団のリーダーで、彼らは通常、その地位のおかげで多くの罪を免れることができた。要は、権力と地位が性別より重要だったということだ。

狩猟採集民はおおむね一夫一婦制だったが(とくに正式な儀式をともなう結婚の場合)、少数の高位の男性は社会的地位ゆえに複数の妻を持つことがあり、それを宗教的に正当化した。それ以外では、性や恋愛をめぐる関係は現代と同様に波乱に富み、理屈で割り切れるものではなかった。

当時の人びとは感情面でも現代人と似ていたので、強い恋愛感情、関係が破綻するときの諍(いさか)い、嫉妬や不貞など、私たちにもおなじみの感情を経験し、そのすべてが暴力につながったものと思われる。

「暴力」が蔓延する日常

狩猟採集時代には、それ以後のどの時代よりも暴力が日常的に広がっていた。旧石器時代の遺骨を調査したところ、意図的な暴力が死因と考えられる痕跡がある骨の割合から、〝**殺人率**〟はおよそ10%と判明した。そのような死体はほとんど男のものであった。この殺人率はどんな近代国家より高い。それどころか過去5000年のどの社会よりも高い。

狩猟採集を行う典型的な部族は、平均すると200年で滅んだ。原因は他の部族による皆殺しか、異なる文化を持つ集団による征服や吸収のためである。特定の文化が一つの地域に何千年も定着することはなかった。人類の歴史のほとんどにおいて、**生物学的ジェノサイド**——少なくとも**文化的ジェノサイド**——は当たり前のことであって異例なことではなかったのである。

ケガや病気はしばしば死に直結した。食料の乏しい地域に入ってしまったら飢餓の危険にさらされた。骨が折れたり、傷口が化膿したり、虫歯になっただけでも死に至ることがあった。乳幼児の死亡率も高く、5歳までに50%の子どもが死んだ。さらに、狩猟採集民は食料を確保するために移動しつづけなければならなかったので、嬰児殺しの割合も約25%と高かった。

明るい側面を挙げると、食料集めは1日のうちのわずかな時間で足りた。のちに登場する農耕民の平均労働時間が1日9・5時間、現代の会社勤めの人びとは8時間が標準なのに対し、狩猟採集民の1日の平均労働時間は**6・5時間**だった。

残りの時間は、火を囲んで行う宴、ダンス、そしてもっとも重要な配偶者選びの駆け引きなど、さまざまな社会化に関わる儀式に使われた。

狩猟採集民はさまざまなものを食べていたので、食料を順調に確保できているときは多様な食生活を送ることができ、健康であった。住む場所を変えつづける生活なので、ウイルスや伝染病に感染する機会も少なく、のちの農耕時代の人間よりも健康的だった。もろもろを考慮すれば、狩猟採集の時代は、近代国家が誕生する前のどの時代より、良い生活ができていたと言える。

人類が世界に拡散した**1万2000年前**、地球の人口は600万〜800万まで増えていた。人類はすでに高い適応力とパワーを持ち、その発想と考案した道具の巧みさはヒト属の中でも群を抜いていたが、大きな革命がすぐそこまで迫っていた。

それは、人類を古代社会へと進ませ、さらに現代社会へと進ませる革命だ。その後わずか1万2000年で——本書が扱う歴史の長さの中では瞬き(まばた)より短い時間で——目を見張るような加速度的変化があった。現代になって、その変化はますます加速している。

ついに人間は、神のように宇宙を変えてしまうかもしれない次の革命の入り口に立った。それは数百万の賢い霊長類が、石から道具を切り出すところから始まった革命である。

定住の罠

CHAPTER 8

農耕で「複雑さ」の
レベルが変わった

THE DAWN
OF AGRICULTURE

人間は光合成を行う作物を食べることで、太陽からのエネルギーを大量に獲得した。

農耕によって狭い土地で多くの人が暮らせるようになった。

潜在的イノベーターである人間の数が増え、近くに集まって住みはじめたことで、集団学習が加速した。

複雑さが一気に増大した。

「定住の罠」で農耕が広がっていく

数万年かかった移動の末、人類は地球上のすべての主要な地域に進出した。最後の氷河期が終わり、狩猟採集生活をする世界の人口は600万〜800万人でピークに達した。もっとも多かったのはアフロ・ユーラシア大陸（アフリカ大陸とユーラシア大陸を合わせた大陸）の500万人、次いで南北アメリカ大陸の200万人、オーストラリア大陸の50万〜100万人と推定される。太平洋の島々の大部分では、4000年から8000年前まで人類は定住していなかった。

1万2000年前に最後の氷河期が終わると、中東の**肥沃（ひよく）な三日月地帯**で緑が増え、食料が豊富になったために、食料を求めて移動する必要のない時代が何世代も続いた。歴史学者や考古学者はこの地域を「**エデンの園**」と呼んでいる。狩猟採集民は半定住生活に移行し、定住地の周辺では狩猟採集を続けたものの、世代が下るにつれて、生涯のうちに移動する距離は減っていった。

その後、人口が急増し食料が不足するようになると、この地域の狩猟採集民は、考古学者が「**定住の罠**」と呼んでいるものにはまり、飢えを防ぐために植物を栽培したり動物を家畜化せざるを得なくなった。それが**農耕**の始まりである。食料資源を意図的に栽培することで、多数の人口と高い人口密度を支えることができた。農耕は肥沃な三日月地帯からエジプトに伝わり（あるいはエジプトで独自に考案され）、中東を経て、次第にヨーロッパにも伝わった。

中国では、1万年から9500年前に、北は黄河、南は長江の流域に、同じような「エデンの園」が出現した。その結果、東アジアの住民も、より多くの人口を養うために食物の栽培や家畜の飼育を始め、インドシナや現在の日本にも農耕が広がっていった。

中東や東アジアで農耕が行われるようになると、食物の栽培や家畜の飼育は南アジア、とくにインダス川周辺へと広がった。

しかし、サハラ砂漠や海が障壁となって、農耕が広がらなかった地域もある。

西アフリカでは、5000年前頃に、「定住の罠」がニジェール川とベヌエ川の流域で別個に起こり、その後、西アフリカ全域に広がっていった。この地域は、今日でもアフリカでもっとも人口密度が高い。

その後の数千年で、農耕はアフリカ大陸の南端へと伝わったが、多くのアフリカ人が遊動しながら狩猟採集を行う伝統的な生活を維持しようとしたため（その傾向は近代まで続いた〕、農耕の広がりと成果は場所によってまちまちであった。

一方、**メソアメリカ**〔メキシコおよび中央アメリカ北西部〕では5000年前に「定住の罠」が発生し、次第に南はペルー、北は現在の米国南西部のプエブロ社会〔アメリカ先住民の伝統的共同体〕へと広がっていった。

興味深いのは、同じく5000年前、**ニューギニア**では人口が少なかったにもかかわらず、農耕が独自に発明されたことだ。

オーストラリアではまだ狩猟採集生活が主流だったが、**火入れ耕作**は行われていた。広大な森林を焼き払って道を開き、野生動物を殺し、土壌の肥沃化と回復を図るというもので、生産性が高かった。南オーストラリアには、数千人が水産養殖によって定住生活をしていた場所もある。

環境を自分たちに適応させる

農耕を始めたことによって、人類の歴史は、いくつかの基準に照らして、複雑性の閾値（しきいち）を超えた。

まず、人間の社会が複雑性を維持するのに必要なエネルギーフローを見てみると、火を

農耕の広がりの歴史

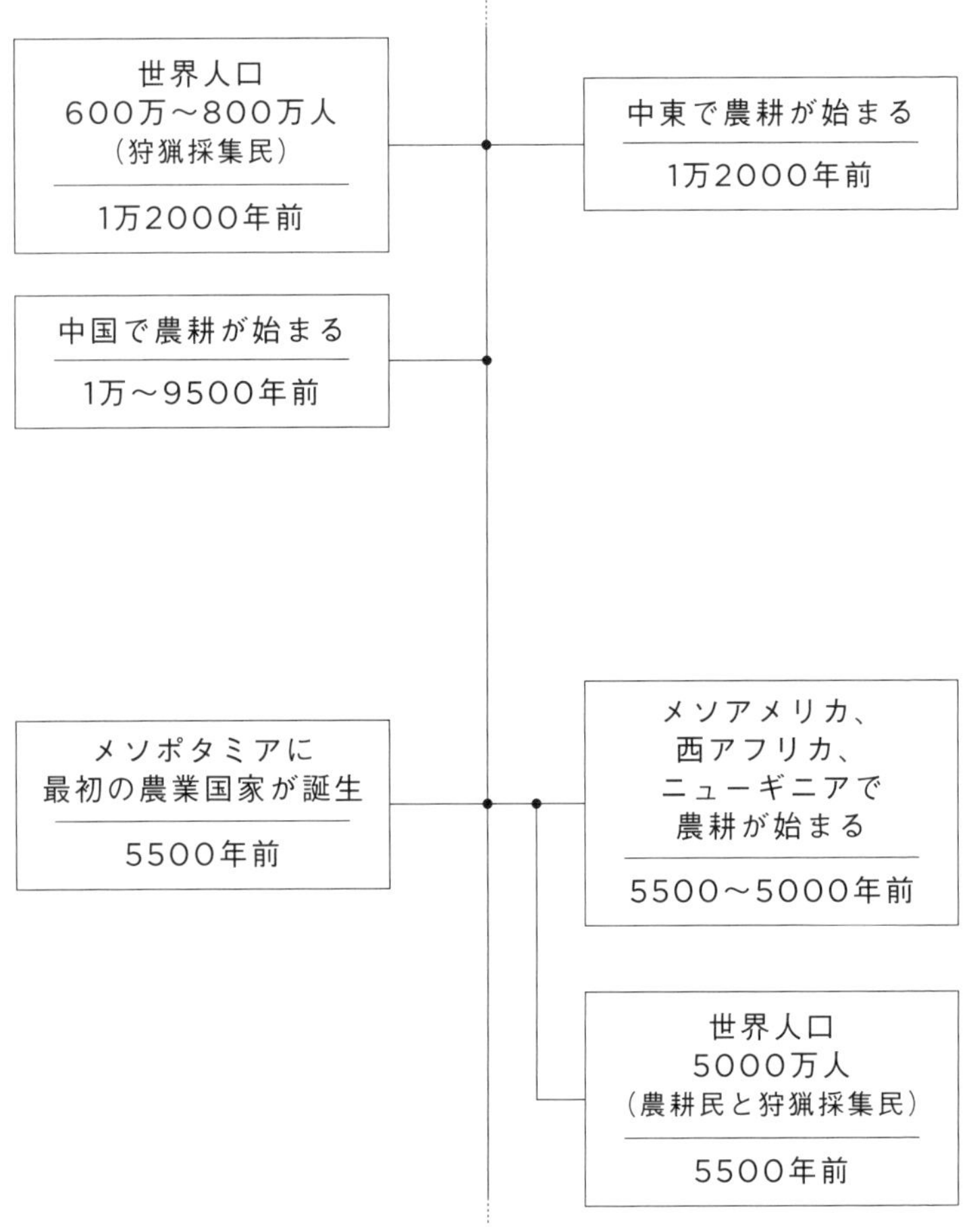
世界人口
600万～800万人
（狩猟採集民）
1万2000年前
中東で農耕が始まる
1万2000年前
中国で農耕が始まる
1万～9500年前
メソポタミアに
最初の農業国家が誕生
5500年前
メソアメリカ、
西アフリカ、
ニューギニアで
農耕が始まる
5500～5000年前
世界人口
5000万人
（農耕民と狩猟採集民）
5500年前

使う狩猟採集社会では約4万エルグ／g／sだったものが、前近代的農業国家では平均10万エルグ／g／sと2倍以上に増えた。

太陽自身のエネルギーフローはわずか2エルグ／g／sなのに対し、単細胞生物でも900エルグ／g／s、多細胞生物のほとんどは5000～2万エルグ／g／s（どんな活動をするかによる）に達している。

農耕社会の構造は、1個の生物を構成する細胞のネットワークではなく、人間、植物、動物など多数の生物が織りなす壊れやすいネットワークである。この社会的な網の目は、全宇宙の中でも構造的にもっとも複雑で、エネルギーフローが密なものの一つだ。人類の歴史が新石器時代で止まっていたとしても、その時点ですでに、宇宙の歴史において特筆すべき到達点だったと言うことができる。

つまり、ビッグバンの直後に生まれたエネルギーのばらつきの中に内包されたエネルギーの小さな点が、太陽系の小さな岩石惑星の上で強度と密度をどんどん高め、ついに広大な宇宙に存在するどんなものより複雑になったのである。

狩猟採集民も農耕民も、地球上のほとんどの生物がそうであるように、エネルギーの圧倒的大部分を**太陽**から受け取っている。

生物はエネルギーの大部分を太陽から得ている

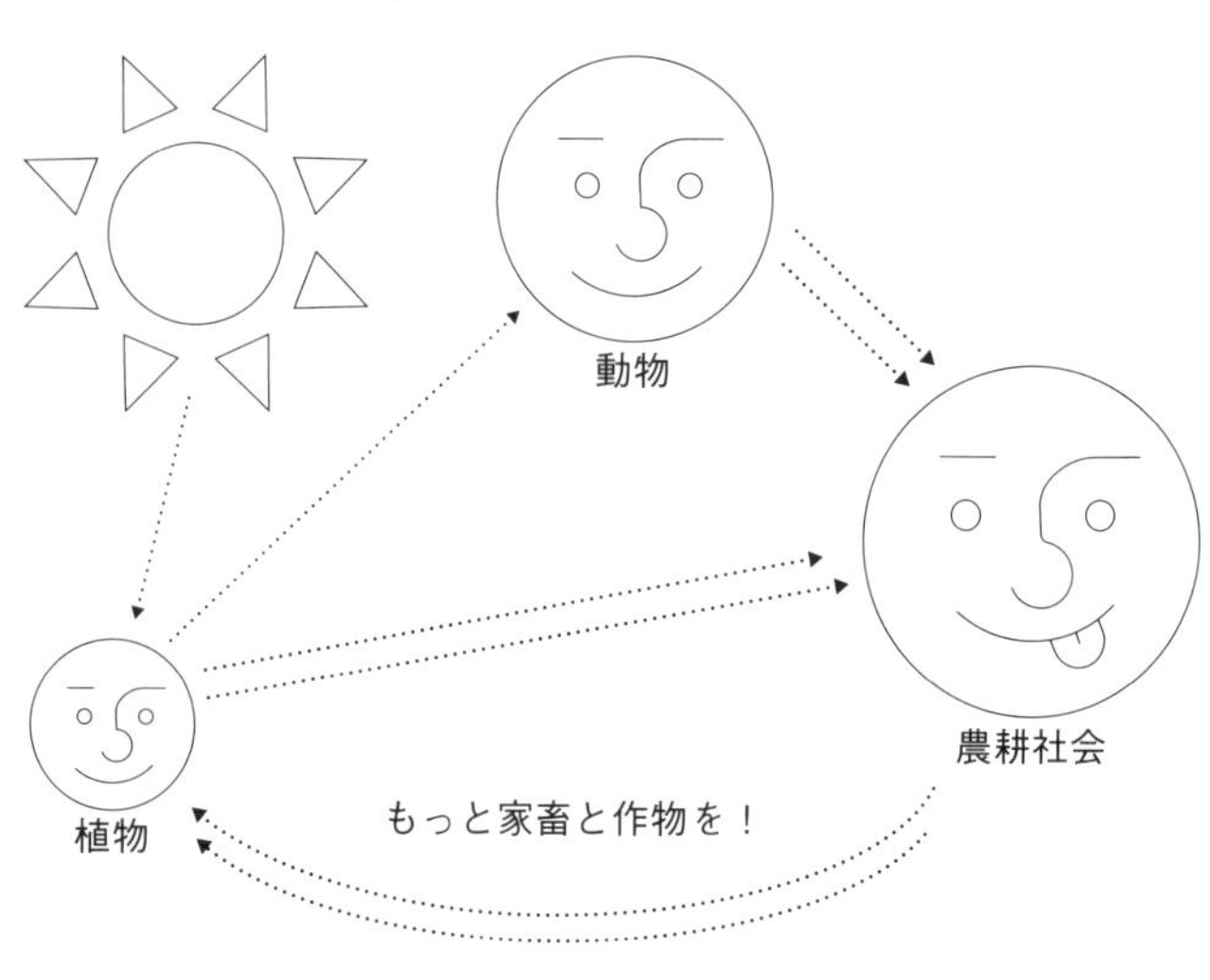

狩猟採集民は周辺を歩き回って植物（光合成によってエネルギーを得ている）を摘み、動物（植物を食べている）を狩り、薪（太陽エネルギーで育った木から取られる）を燃やして調理した。

しかし、農民は耕されていない原野に自生するものだけに頼っていたのでは暮らしていけなかった。植物の中には、広いスペースを占めているのに食べられないものもあった。そこで農耕民は森を切り開き、土地を耕し、畑に水を引き、エネルギー消費の大きい植物をたくさん育てて食料にした。

また、遠くまで出かけて野生動物を狩るのではなく、近くに何百頭もの家畜を飼い、毛やミルクや食肉として利用した。

さらに、肉がたくさん取れる動物や収穫量

の多い穀物など、エネルギー効率の高い動植物を選択的に繁殖させることも始めた。

つまり、種が自らを自然環境に適応させるのではなく、**環境を自分たちに適応させる**という変化が起こったのだ。

新たに始まった農耕生活は、より多くの人口を支えることになった。狩猟採集と比べて、農耕は土地が支えることのできる人間の数を単位面積あたり10倍から100倍へと劇的に増加させた。農耕が始まったことで、地球は800万人の狩猟採集民から、8000万人、やがては8億人もの農耕民を扶養できるようになったのである。

エネルギーの流量が増え、それが人口を増やし、集団学習に正のフィードバック・ループが生まれた。農耕によって多くの人（潜在的なイノベーター）が生まれ、各世代でイノベーションが起こる確率が高まった。イノベーションの中には、新しい農法、新しい作物、新しい道具や技術などを通じて、**人口扶養能力**をさらに高めるものもあった。

こうして人口が増え、それがさらなる技術革新をもたらして、学習とイノベーションのプロセスが加速しつづけた。

農耕社会では、イノベーションのスピードが狩猟採集社会より速くなっただけでなく、**人口の集中**が始まった。数十人規模の集団であちこちを移動しながら暮らしていた人びと

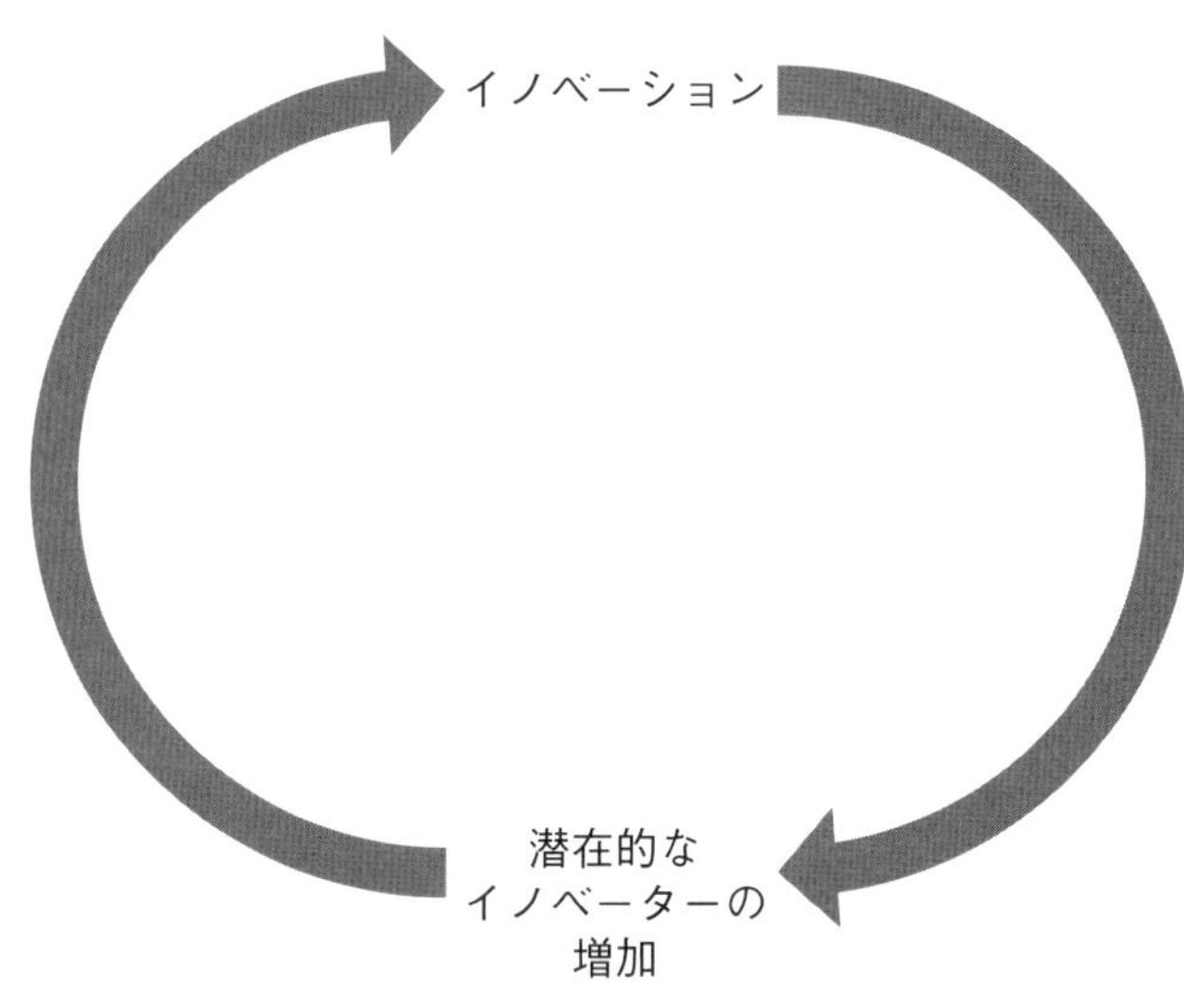

が、数百人規模の農耕民となって集落に定住するようになった。

狩猟採集生活を続けた人びとは、農耕社会の技術進歩に対応するのが難しいだけでなく、狩猟や採集のために自由に使っていた土地が徐々に農地となって削り取られ、あっという間に劣勢に立たされることになった。そのため、さらに遠くに移住するか、自ら農耕を始めるしかなくなった。

狩猟採集民は飢えにも悩まされ、農耕民を襲ったり暴力をふるったりした（報復される危険も抱えることになった）。

その後、今日までの1万2000年間、どこかで農耕社会が出現するたびに、狩猟採集民との境界地帯で悲劇が繰り返されてきた。

生活水準が悪化した「初期農耕時代」
――飢え、不衛生、病気

およそ1万2000年前から5000年前まで、農耕社会には農地と人の住む集落があるだけだった。都市も、国家も、軍隊も、文字も、王室も、歴史の教科書に出てくるようなものは何もなかった。農地と人の住む集落だけの世界が7000年間続いた。

この長い期間、何世代にもわたって多くの人びとが農耕に挑みつづけた。そこには進歩もあれば、農耕にともなうさまざまな弊害もあった。国家が誕生する前のこの時代を「**初期農耕時代**」と呼ぶ。

初期農耕時代は、それ以前の旧石器時代や、それ以後の農業国家時代と比べると、一般に生活水準が低かった（ただし農業国家時代の生活水準には相当なばらつきがある）。

この時代の農耕民は、ずっと**石器**を使っていた。それは独創的で集団学習の力を証明するものではあったが、あまり効率的ではなかった。肥料や灌漑（かんがい）も発達していなかった。

その結果、初期農耕時代の人口扶養能力は概して低く、当初の豊かさを享受したあとは、人口過剰、栄養失調、空腹、飢饉に繰り返し悩まされた。

この時代、使役動物の力は十分に活用されていなかったので、植え付けや耕作のほとんどは人間が原始的な石器を使って行っていた。石斧(いしおの)で森を切り開き、石鍬(いしぐわ)で荒れた土地を耕し、石や骨でできた鎌で作物を収穫するという作業のすべてが、大人や子どもの労働力にかかっていた(その意味で、狩猟採集時代と違って子どもが多いことは利点の一つだった)。動物の糞による肥料効果も十分に発揮されていなかったため、農耕に使用した土地では土壌の栄養分が急速に失われ、数年間は使い物にならなくなるという事態が発生した。また、広い土地を耕作適地にする灌漑技術もマンパワーもなかったので、初期の農耕は川の水に依存していた。そのため効率よく耕作できる土地はかぎられていた。

狩猟採集民はバラエティに富む食べ物を口にし、特別な状況でなければ定期的に体を洗っていた。家畜を連れずに遊動する小さな共同体の生活なので、伝染病も少なかった。一方、初期農耕時代の人びとは、飢饉ではないときでも、旧石器時代の人びとより劣悪な暮らしを強いられた。彼らは定住し、生涯数平方キロの範囲にとどまった。そのため、食物の廃棄物(腐った野菜、腐肉、動物の死骸)や消化の結果である人間や動物の糞が住まいの近くに溜まる不衛生な環境が生まれ、病気の原因となった。

その結果、**チフス**と**コレラ**という致命的な伝染病が発生した。チフスはたちの悪い細菌によって引き起こされ、食事や調理を介した接触で人から人に伝染するほか、水源からも感染した。感染力はきわめて強く、感染すると倦怠感、腫(は)れ、痛み、発熱、錯乱、幻覚、心臓障害、潰瘍(かいよう)、腸管出血などの症状が現れた。コレラは細菌が腸管下部に侵入して起こる。感染すると激しい下痢と嘔吐が起こり、脱水症状を起こして皮膚が乾燥し、目が落ち込んで頬がくぼみ、皮膚も青ざめて、やがて死に至る。

人間同士、あるいは人間と動物が密に接触する機会が増えるにつれて、**天然痘**などのウイルスも広がった。天然痘は咳やくしゃみで感染し、皮膚を傷つけ、脳を腫れさせ、発作、発熱を引き起こし、人を死に至らしめる。

しばしば家畜やほかの動物と同じ水源を使って水浴びや排便をしたことも、事態を悪化させた。水浴びをしても清潔にならないばかりか、病気になることもあったので、定期的な水浴びは健康によくないと見なされ、衛生観念が薄れていった（習慣として定期的に水浴びを続ける集団もあった）。

だが、水浴びを控えたことで健康問題が悪化した。石鹸や抗菌剤の登場ははるか先の話で、体臭や、口臭や虫歯（食生活や歯の不衛生の結果）が一般化した。

腐ったものによる「快楽反応」
——アルコールの発明

飲み水も水浴びの水と同じように汚染されており、不健康の原因となった。だが幸いなことに（考えようによっては不幸なことかもしれないが）**アルコール**が発明された。発酵によって、水で薄めた蜂蜜酒（ミード）、ビール、ワインなどが、水よりも安全に飲めるようになった。もっとも、それ以後の人間がつねに酔っていたわけではない（人類が繰り返した愚かな行動を見るとそう思えなくもないが）。そのころのアルコール飲料は、19世紀から20世紀にかけて楽しむための飲酒を目的として蒸留、商品化、販売されはじめたものに比べれば、さほど強くなかった。近代以前のビールの平均的なアルコール度数は2・0％程度だった。とはいえ、不健康なほどの深酒体験が人口の10～25％にも達するという、今日の一部の先進国のような由々しき状況は、農耕の開始よりはるか昔に起源がある。

6600万年前、**トガリネズミ**のような哺乳類が腐った果物や野生の穀物を食べ、結果として少量の発酵アルコールを摂取し、脳の中でドーパミンというささやかな報酬を得たのが事の発端と考えられている。その快楽反応によって私たちの祖先は腐ったものを摂取するようになり、そのおかげで餓死を免れたのである。アルコールの大量生産が始まってからは、この神経反応が効きすぎて、私たちは基本的に飲みすぎの状態にある。

また、初期の農耕民は、家畜のすぐそばで、ときには同じ住居の中で暮らしていた。人間と家畜のあいだをウイルスや細菌が移動することで、**鳥インフルエンザ**や**豚インフルエンザ**が蔓延し、人間の集団を苦しめるようになった。食べ物や廃棄物も害虫を引き寄せ、ネズミ、ノミ、ゴキブリなどがはびこった。汚物にたかる生き物たちが、さまざまな感染症、赤痢、ペストの亜種といった新しい病気を運んできた。

ぞっとさせられる話だ。「複雑さ」イコール「進歩」と考えていた読者は、初期農耕時代の暮らしを想像してその考えを改める必要がある。

生活の中心が「村」になった

飢饉や疫病、死に至るほどの下痢を引き起こすような病気もあったが、初期の農耕社会は、それまでの狩猟採集社会に比べれば、同じ土地面積ではるかに多くの人びとを養うことができた。その結果、集団学習が加速されて複雑さが増した。

狩猟採集時代には、社会の中心は**家族**だった。集団は親族関係によって統治され、集団間のつながりは儀礼的な婚姻によって維持された。しかし農耕が盛んになると、社会に新たな複雑さのレイヤーが加わった。当初、農耕は家族単位で行われ、だれもが生きるために働き、婚姻も近くに住む家族間で行われていた。だが、やがて数百人が集まって住む**村**が生活の中心になった。人びとは村で作物、道具、情報などを交換し、共同体の暮らしに影響をおよぼす作物の収穫量の変動、天候問題、外敵からの襲撃、家族間のいざこざなどに対処するようになった。村は飢饉に備えて穀物を備蓄する場所でもあった。

死者を念入りに埋葬するようになっていることから、**宗教**が発達したこともうかがえる。埋葬跡からは死者の身分を反映する宝石や装飾品が多数出土しており、階層の分化も進んだと思われる。

暴力の大半が、狩猟採集時代と同様、人間関係のもつれによって発生していたことに疑いの余地はない。しかし定住によって土地、収穫物、家畜の所有権などが意識されるようになると、財産をめぐる争いが起こるようになった。窃盗事件や隣人間の土地争いが発生したら、共同体がその仲裁に当たったと思われる。

また、外敵からの攻撃という新たな問題も発生した。近隣の文化から略奪者(定住農耕民のこともあれば狩猟採集民のこともあった)がやってきて、農作物や家畜、道具を奪うだけでなく、女性や子どもを誘拐することもあった。

新石器時代の半坡集落
(中国・陝西省西安市東方の
発掘調査)

1万年前(BC8000年)に最初の定住農耕民が住んでいたメソポタミアの**アブ・フレイラ村**のような農耕地には、防御の構えはあまり見られない。しかし、農耕時代が長く続くうちに、村の周囲に壁や堀、監視塔などが建設されるようになる。そのもっとも印象的な例は、7000年前〜5000年前(BC5000年〜BC3000年)に中国に存在した**半坡**(はんぱ)**集落**で、すべての住居が堀に囲まれた壁の内側に集中していた。

さらに古い例が、肥沃な三日月地帯にある**エリコ集落**だ。ここは1万1500年前に農耕の村として形成された。当初は防御のための構造はなく、淡水が湧く泉の周辺に家が並び、そこから原始的な用水路によって周囲10平方キロメートルの農地を灌漑していたが、1万年前頃には、村の周囲に壁が築かれていた。

半坡でもエリコでも、集落を囲む壁の目的ははっきりしている。農民たちが交易を行うようになると、穀物が蓄えられ、資源の集積が起こる。力ずくで富を〝再配分〟しようとする外部からの襲撃に備えるために、防御が必要だったのである。

とはいえ、初期農耕社会の力量を超える大がかりな戦争があったわけではない。隙を見て襲ってくる集団と、集落の農民によって組織された防御的な民兵とのあいだに小競り合いがあった程度のことだ。

こうして「権力構造」ができていく

複雑さを増した集団をまとめ、法や防衛に関わる多くのニーズに対応するために、個人による支配を超える社会階層が固定化されていった。それは、多数の人びとが顔を見たこともないだれかによって支配されることを意味する。

ただし、初期農耕時代には圧倒的多数の人は生きるための農耕で手一杯だったので、かぎられた少数の人間だけが、個人や家族では手に負えない紛争を仲裁したり、インフラ整備のプロジェクトを組織したりする権威ある地位に就いた。

農耕社会において、権力者がその地位に就く経路は、ボトムアップかトップダウンのいずれかだが(両方による場合もある)、ボトムアップによる権力のほうが先に登場したことは間違いないだろう。

「権力（パワー）」を論じるとき、私たちは命令を出す権限のある個人や集団を思い浮かべ、その命令には実行されるべき合理的な理由があると考える。それを普遍的な表現で言い換えれば、食物や労働にかたちを変えたエネルギーを、自分が定めた方向に流れさせるものが権力ということになる。

「**ボトムアップ**」のシナリオでは、農耕コミュニティは、紛争を仲裁したり決定を下したりしてもらうために、経験豊かで賢い人——通常は長老や長老たちの合議体——を任命した（それをラテン語で「**マイヨル**（より大きい）」と言い、そこから「**市長**（メイヤー）」という言葉が生まれた）。

彼らの決定はコミュニティ全体（つまり、エネルギーフローの仕組み全体）に影響を与えた。託された意思決定や職務を担う時間を確保するために、長老たちには自分がつくったのではない食料が与えられ、生存のための労働時間を減らすことができた。

当初、そうした役職は実力本位で任命され、コミュニティは彼らの決定に従った。協力したがらない個人や少数のグループがいても、きつく言うか圧力をかける程度で従わせることができた。

社会階層という点では、初期農耕社会は狩猟採集社会とさほど違いはなかった。ほとんどの霊長類の社会と比べても大差はなかった。霊長類の社会にはすべて、何らかの支配階層が存在する。

それらと農耕社会が違うのは、人口が数百、数千に達すると、長老や長老集団は、たんなる強さや個人的な協力関係だけでは優位を保てなくなるという点である。

支配者といえども、コミュニティの中で個人的関係を築ける人数はかぎられている。そのため、権力構造を維持するためには、投票、世襲、宗教的儀式といった正当化の手続きが必要になる。さらに支配者は、人びとを従わせるための執行者集団を必要とするようになった。そのような集団は、自発的に生まれることもあれば、支配者が対価を払うことで組織されることもあった。

そこから、権力を確立する第二の方法として「**トップダウン**」方式が生まれた。この場合、上に立つ個人や集団の権威は暴力の脅威によるものであり、コミュニティの同意は必要ない。

農耕集落が防御施設を建設しはじめるころには、まとまった人数で強制力を行使できる**民兵**の組織や男たちの集団が形づくられていた。その暴力は、外部勢力との戦いだけでなく、コミュニティの中で命令に従わない者や内輪もめの裁定を受け入れない者に対しても行使された。

強制力を行使する人びとは、その働きの対価として集団の余剰エネルギーフローを受け取ったので、支配者たちと同様、時間のすべてを畑で過ごす必要はなかった。

このエネルギーの循環を維持するために、上に立つ者たちは、取り締まりに当たる者たちを使って住民から**貢ぎ物**を集めた。こうした構造が、村のルールに従い人びとの同意を得たという体裁を整えながら、徐々に固定化されていったのだろう。

今日の私たちは民主主義的な権力のあり方になじんでいるが、初期農耕社会には、そのような考えが浸透する歴史の準備期間がなかったことは覚えておく必要がある。

初期農耕社会の人びとは権威の世襲をごく自然なことと考えたかもしれない。ボトムアップの民主的な（少なくとも実力主義的な）統治者の任命から、世襲的で固定化された貴族階級が集団を牛耳る（ぎゅうじ）階層社会への移行には、さほど時間を要さなかった可能性がある。

これは、私たちが霊長類の時代から受け継いでいる本能とそれほどかけ離れているわけではない。チンパンジーの世界でも、高位のメンバーの子孫は親が享受していた**同盟関係**と**保護**を世襲によって受け継いでいた〔155ページ参照〕。

さまざまなリーダーシップの形態（民主主義、実力主義、世襲）が発展した時期も、ボトムアップ型権力がトップダウン型権力に移行するまでにかかった時間も、地域や文化によってまちまちだった。

「いわゆる歴史」が始まる

このような権力闘争は、今日の私たちには不快に思えるが、この時代のほとんどの人間は緊密な関係で結ばれた小さな農耕集団で暮らし、それに適した価値観を共有していたことを忘れてはならない。彼らは家族や親戚、友好的な隣人によって構成された社会で暮らしていたのである。狩猟採集生活をしていた人びとの小さなコミュニティと同様、そこは安定していて住みやすかった。現代の暮らしも、広く政治に目を向ければ破壊的で憂鬱なことが多いが、自分が暮らしているコミュニティには、健康で幸せな生活に必要な何かしらのものがあるのではないだろうか。いつの時代でも人間はそうして生きてきた。

あらゆる時代の人間社会に共通して存在するものは、この時点ですでに存在していた。なぜなら、最初のホモ・サピエンスが出現した31万5000年前から今日まで、私たちは機能的には何の違いもない人間という動物だからである。過去5000年――従来の「歴史」の守備範囲――で驚くべきことは、個別の出来事ではなく、その間の変化の速さと異例さであり、今後さらに複雑さが増していくという事実である。

農業国家

CHAPTER 9

土地と富をめぐる
栄枯盛衰

AGRARIAN STATES

最初の農業国家が出現し、世界人口が激増する。
人類の歴史は繁栄と衰退のサイクルを繰り返すことになる。
国家間の交易により、世界的広がりの中で集団学習が進む。
印刷技術の進化によって知識の共有が進み、多くの人に行き渡る。

すべての歴史を説明する「一つのパターン」

いよいよこの章から、従来の意味における「歴史」が始まる。ここまでの8章はずいぶん駆け足だったが、この章も、従来の歴史が扱う時間の大半（農業国家誕生前からの6000年）を一気に駆け抜けることになる。

そんなことができるのは、「集団学習」と「複雑さ」の増大のパターンに焦点を絞るからだ。このパターンは、あらゆるものを溶かす〝万能酸〟のように、人間の歴史を形づくる多くの名前、日付、出来事をすべて説明してしまう。ダーウィンの進化論が化石に記録された何十億もの種の絶滅を説明できるのと同じだ。

各地に形成された**農業国家**では、人口の80～90％が農耕を行い、それ以前のどんな社会よりも太陽から地球に流れ込むエネルギーを多く利用して作物や家畜を育てた。だが、集団学習によって農業の生産効率が次第に高まり、世界中に広がるなかで、これまでには存在しなかった新しいものが登場した。都市、官僚制度、軍隊、職人、書記官、自分では農業を行わない支配者などである。農業国家の出現によって社会構造の複雑さが次の次元に進んだ。

集団学習がもたらす農業生産の拡大によって、環境の人口扶養能力は増大したが、出生率はしばしばそのペースを上回った。その結果、人口危機が繰り返し発生し、住民間の暴力が激化し、国が崩壊した。

政治を左右する大きな人口サイクルを「**永年**（セキュラー）**サイクル**」（歴史的に大きなパターンやイベントは周期的に発生するという考え）と呼ぶ。それは歴史という海の底を流れる潮流であり、ときに海面を泡立たせる出来事を引き起こす力である。

「シュメール」に次々と大きな町が現れる
――都市の誕生

1万2000年前に農耕が始まったとき、世界の人口は800万人だったが、最初の農業国家が出現する5500年前（BC3500年）には5000万人に達していた。

この人口増は潜在的なイノベーターの増加を意味し、集団学習のペースを加速させた。

初期農耕時代から農業国家への移行は、以下の3条件で定義される。

1 分業労働による大都市の出現（非農耕民を支える余剰作物の生産）

2 文字の出現
3 永年サイクルの始まり（帝国の興亡を引き起こす力）

農業に従事しない住民を多く抱える都市を維持するためには、農地で余剰食料を生産する必要がある。

7000年前の肥沃な三日月地帯で集団学習にスイッチが入り、金属製の硬い道具が、木や石や骨でできた道具に徐々に取って代わった。農民は何千年もかけて、収穫量の多い作物を選択的に育種した。灌漑によって乾燥した土地に水が引かれ、植物は新たな栄養分を吸収できるようになった。動物を使うことで、人間が行うよりずっと効率的に土壌を耕すことができた。

6000年前のこの地域の良好な気候も相まって、農業の生産性は飛躍的に向上した。その結果、余った食料で村や町がどんどん大きくなっていった。

シュメール［古代メソポタミア南部地域］では、5500年前（BC3500年）に、農村が発展して1万人規模の**エリドゥ**という町が出現した。5500年前から5200年前にかけて、そういった大きな都市がいくつも誕生した。なかでもエリドゥの北西に位置する**ウルク**の規模は群を抜いていた。面積がエリドゥの15倍もあり、8万人が住んでいた。

それまでに例のない規模の定住であった。

集団学習が進むにつれて作物も増え、それが複雑さを増す社会を支えた。ウルクでは明確な分業が行われ、ますます効率的になる農耕がもたらす余剰作物によって非農耕民が増えていった。

都市は神官王を頂点とする**神官階級**によって統治された。その下には、都市の複雑な物流を差配する書記官がいた。宮殿や寺院が数千人規模の職人や労働者によって建てられた。兵士は人びとに法と秩序を守らせ、城壁に配置されて外敵から都市を守った。都市では亜麻布（あまぬの）や羊毛の産業が発達し、多くの裕福な商人が現れる一方で、家事労働や肉体労働を強制される**奴隷**が生まれた。

都市の外では人口の約90％が農民であったが、神官が土地の30～65％を所有していた。農民もかなりの部分が奴隷であったと思われる。

奴隷制度は、人間が都市に集住しはじめるのとほぼ同時に出現した。支配階級を支え、彼らを守る兵士を養えるだけの作物があれば、意に反する労働を人びとに強制することは難しくなかった。

奴隷の使役を正当化する理由としては、借金を返済しない、罪を犯した（ただし処刑するほどではない犯罪）、異教を信じている、異民族である、などということがしばしば持ち出された。

だがほとんどの場合、奴隷は戦争で捕虜になった敵国人であった。５０００年以上にわたって——ほんの数世紀前まで——奴隷制度はすべての農業国家に存在し、奴隷廃止に踏み切る国はきわめてまれであった。

このようにして、「**戦争**」が国家の運営において大きな意味を占めるようになった。シュメールの諸都市は住民を養い、富を維持するために農地を必要とした。それを敵から守るため、人類史上初めて数千人規模の軍隊が形成されはじめた。

５５００年前から５０００年前まで、ウルクがメソポタミアを支配していたが、他の都市国家との競争が過熱し、激しい戦闘が勃発した。ウルクは４５５０年前（ＢＣ２５５０年）にライバル都市**ウル**に征服され、略奪された。

霊長類の階層社会には、それまでもつねに暴力があり、狩猟採集社会も例外ではなかった。しかし、農業国家の出現とともに、何千人もが殺され、奴隷にされるようなスケールの殺傷が行われるようになった。その繰り返しはいまも止む気配がない。

「知識」が消滅しなくなる

——文字の誕生

ウルクには粘土板に棒で刻まれた最古の文字が残っている。5500年前（BC3500年）のもので、書かれているのは農作物や家畜のことだ。

シュメールの文字は、5500年前から4500年前にかけて、**絵文字**（話し言葉とは無関係な記号）から、複雑な歌や詩や歴史を綴ることのできる**音節記号**へと豊かな進化を遂げ、そこにさらに**数**を表す記数法が加わった。その後、世界各地で誕生した農業国家において、文字は同じような進化の過程をたどった。

集団学習という点では、文字による記録の利点は説明するまでもなく大きい。すべての知識を口承するという方法では、どこかの世代で途絶えたらその知識は永久に消滅してしまうが、文字による継承なら、たとえ何世紀も忘れられていたとしても、再発見されればよみがえる。

さらに、口承より複雑で抽象的な情報を伝えることもできる。詳細な歴史の記録はもちろんのこと、算数を使った計算結果も文字なら後世に伝わる。つまり、狩猟採集時代には頻繁に起こっていた知識の消失を防ぐことができるのである。

当時の集団学習の唯一の限界は、文字を読めるのが、書記官や神官など、ごく一部の人びとにかぎられていたことである。そのため、親から子へ、師から弟子への情報伝達の大部分は、相変わらず口伝えで、あるいは実際に手本を見せることによって行われていた。

人口が「増加」と「減少」を繰り返す
――永年サイクルという現象

およそ4300年前（BC2300年）、シュメールの北に**アッカド**という国が誕生した。支配者**サルゴン**は、シュメール全域、メソポタミア全域、レバント地方、クレタ島を征服し、その支配は、北はアナトリア、東はエラム、南はアラビア半島の先端にまでおよんだ。複数の文化がアッカド帝国に吸収され、服属した民族にアッカド語が押しつけられることもあった。しかし、これほどの帝国も4150年前（BC2150年）頃までしか続かず、崩壊した。

そんな経過をたどったのはアッカドだけではない。これは永年サイクルとして知られる現象で、大国の興亡を引き起こす力だ。

遺伝的ボトルネックの時代から産業革命後までの人口増加

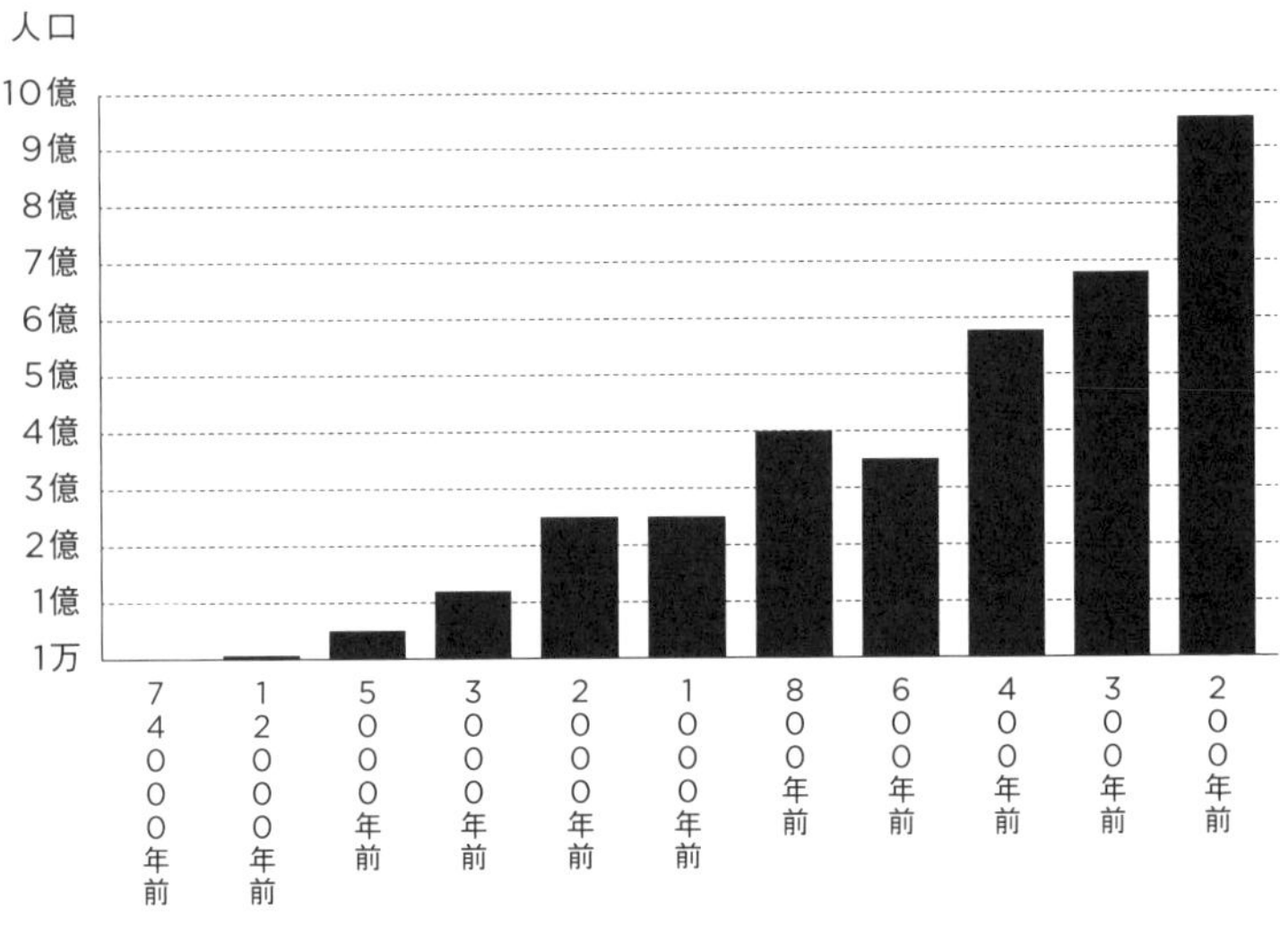

アッカド帝国の場合、4200年前（BC2200年）頃、干ばつ、過剰な農耕による土壌の劣化、長期的影響を無視した灌漑による土壌塩分濃度の上昇により、環境の人口扶養能力が大幅に低下した。

その結果、何度も飢饉に襲われ、諸都市で上層階級の反乱が頻発したため、帝国は弱体化してメソポタミアでの支配力を弱めていった。最終的には**グティ人**という〝蛮族〟に侵略されて滅亡した。

要するに、集団学習、人口扶養能力、そして国の社会的・政治的安定性のあいだには密接な関係がある。

集団学習によって扶養能力は徐々に拡大する。農業国家が形成されつつあった5500年前（BC3500年）は5000万人だった世界人口が、**産業革命**を経た200年前（AD1800年頃）には9億5400万人まで増加していたのは、まさにその効果だ。だが問題は、扶養能力の拡大を上回るスピードで人口増加が起こるということだ。

農業国家の人びとは、農業技術の革新による食料増産が追いつかないほど多くの子どもを産んだ。そのため、数世紀ごとに人口の増加と減少のサイクルが発生し、それが歴史上のさまざまな出来事を引き起こしたのである。

大づかみに見れば、国の歴史は次のようなサイクルを繰り返す。

1 **拡大** 人口は少ないが、増大傾向にある。土地と食料が十分にあり、賃金も高いので、庶民は豊かさを享受できる。支配的一族が上流階層を問題なくコントロールしているので、国は概して安定し、領土を拡大することができる。

2 **緊張** 人口が環境の扶養能力の限界に近づく。庶民は基本的な必需品を得るために多くのお金を払わなくてはならないが、労働に対する報酬は減る（支払われないこともある）。地代は上がり、食い詰めた農民が土地を売り払う一方で、土地と富を独占する富裕層の数が増える。

3 **危機** 飢えや病気、その他の災厄で人口が減少する。小作人も納税者もいなくなり、富裕層は地代や農作物の代金といった富の源泉を失う。

4 恐慌 富裕層のあいだで激しい内戦や反乱が起こり、政府とも衝突する。その結果、次のいずれかが起こる。①外から攻めてきた敵対勢力に占領される。②エリート層の数が減り、平和と安定が回復してふたたび人口増加に転じる。③国が完全に崩壊して人がいなくなる。

集団学習は徐々に環境の人口扶養能力を高めたが、人口増加に追いつかなかったために、**王国**や**帝国**は数世紀ごとに栄枯盛衰のサイクルを繰り返した。

このように人間の歴史は、集団学習と複雑さという大きなトレンドが、国家の盛衰という小さな出来事に影響をおよぼす歴史なのである。

そこに人間とほかの生き物の違いがある。通常、ある種が生態系の収容力を超えたら、個体数は激減するが、生き残った少数が多くの食料を確保できるので個体数はすぐ回復に転じる。しかし人間の場合は、ほかの種にはない複雑さのレイヤーがあって、人口が激減したあとも、大規模な暴力や内戦によって何十年もその人口レベルが続くのである。

古代世界では、**メソポタミア**、**エジプト**（古王国・中王国・新王国に区分される約30の王朝）、そして中国の**夏**、**殷**、**周**でそのようなパターンが見られた。いずれも人口圧力、病気、内乱などで衰退が始まり、しばしば外敵からの攻撃でとどめを刺され、歴史の表舞台から退場していった。

農業国家形成後のBC3000年から産業革命後のAD1800年まで、ほとんどの内戦、国家の崩壊、繁栄と帝国拡張は、ほぼこのパターンを踏襲している（工業化が遅れた農業国家はこのパターンがさらに長く続いた）。

エネルギーが横溢する複雑な世界

構造の複雑さ（システムを構成する要素、ネットワーク、接続の数と多様性）という点では、農業国家はそれまでの社会から大きな飛躍を遂げた。

数十人の狩猟採集民の集団ではなく、数百人の農耕民が村に住む初期農耕社会でもなく、数万人規模の都市が出現して、農業以外のさまざまな仕事をする人びとが登場した（システムを構成する要素の多様性が著しく増加したことを意味する）。さらに数百万の人口を抱える国家や帝国が生まれると、人びとのつながりはますます複雑になっていった。国家間の交易も拡大し、経路の数も増えた。

エネルギーフローという面からも、農業国家は複雑さが増大していることがわかる。

国家に流れ込むエネルギー

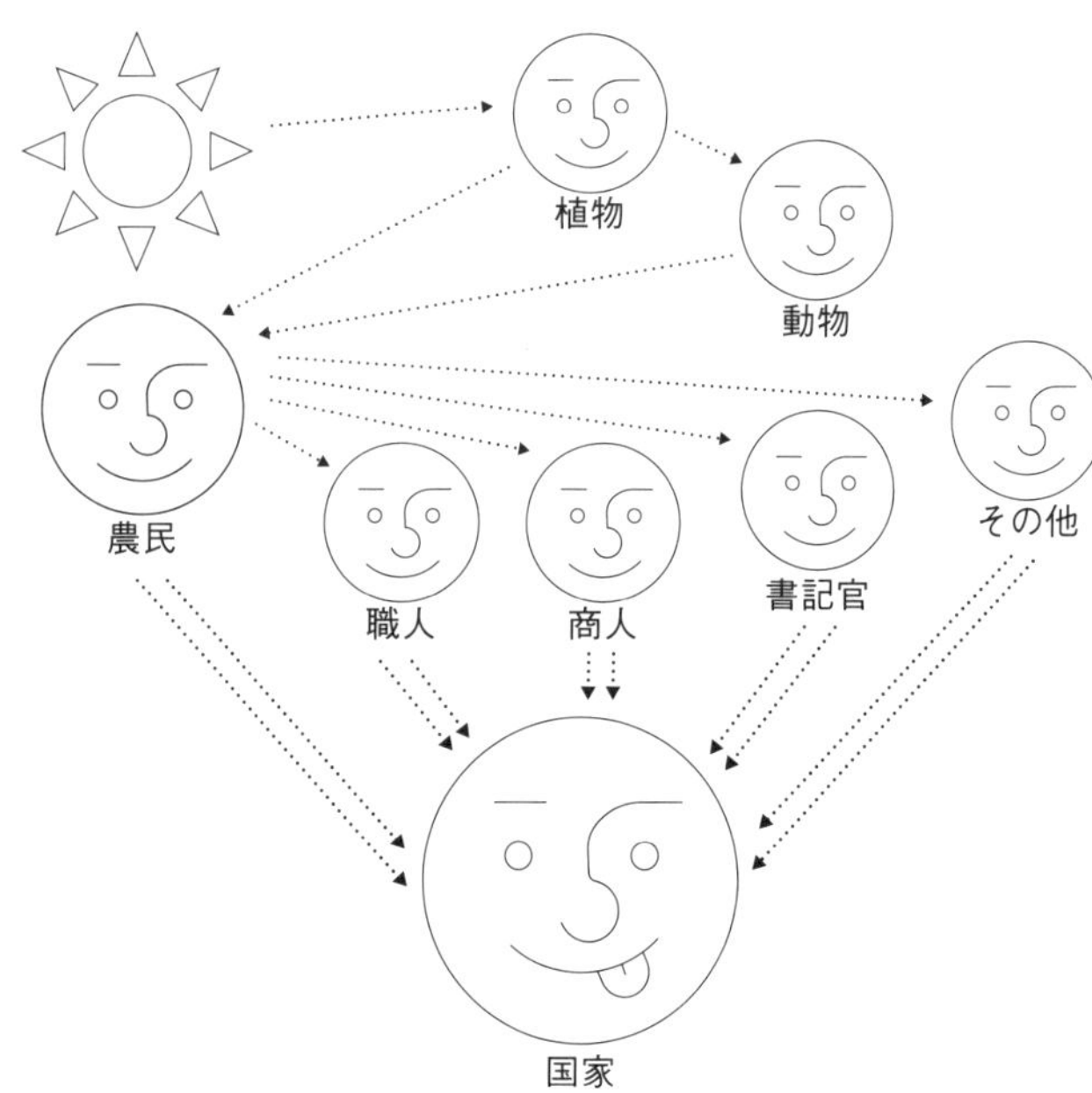

初期農耕社会と同様、農業国家も必要なエネルギーのほとんどを太陽から得た。

光合成によって太陽エネルギーを吸収した植物を人間と動物が食べる。人間は動物も食べ、動物のエネルギーを労働にも利用する。

そして都市では、農業から生まれる食料と富が、農民以外の人びと（職人、書記官、兵士、商人、料理人、建築家、王など）を支えるために使われる。

そのような複雑さが最高度に達すると、農業や経済活動を流れるエネルギーの多くが、地代、貢ぎ物、税金のかたちを取って移動するようになる。**通貨**は商品やサービスを買えるので、通貨の移動はエネルギーの流れそのものだと言える。

つまり、国家という複雑なシステムを維持するために、人間は高密度のエネルギーフロー（平均10万エルグ／g／s）を利用しているのである。その密度は狩猟採集社会や初期農耕社会より——いや、宇宙に存在するほかのどんなシステムより高い。

農業国家は生物にたとえることができる。生物がその複雑さを維持、増大させるために食物（エネルギー）を探し求めるように、農業国家は土地と富を求める。

生物も国も、資源をめぐってほかの生物やほかの国と競争しており、エネルギーの流れを使い果たすと死んでしまう。動物の化石も、人間の遺骨も、古代文明の遺跡も、そのことを物語っている。どれほど偉大な文明であったとしても、いまはもう存在せず、熱力学第二法則が指し示す終焉を象徴している。

「四つのワールドゾーン」とは？

5500年前（BC3500年）から2000年前（AD1年頃）にかけて、世界の人口は5000万人から2億5000万人に増えた。その90％はアフロ・ユーラシア、8％は南北アメリカ大陸、残りの2％はオーストラレーシア〔オーストラリア、ニュージーランド、ニューギニアなど〕と太平洋圏に住んでいた。

5000年前、メソポタミアの都市諸国家とエジプト王国が支配していた地域の面積は、地球の土地の0・2％にすぎなかった。その後、東アジア、西アフリカ、南北アメリカ大陸に最初の農業国家が生まれたとき（いちばん遅かったのは約3000年前の南北アメリカ大陸）、それらの国が支配する面積の割合は6％に増え、1000年前のAD1000年には13％に達していた。

それでも地球の陸地の大部分は、国を形成していない農民や狩猟採集民が住んでいるか、人間がまったく住んでいない土地であった。

この時代の世界は、大きく**アフロ・ユーラシア**、**南北アメリカ大陸**、**オーストラレーシア**、そして**太平洋圏**という「四つのワールドゾーン」に分けることができる。これは集団学習に着目した区分だ。

いわゆる**大航海時代**が始まり、これら四つの地域が同じ集団学習のネットワークに統合されるまで、ゾーンをまたいで集団学習が行われることはなかった。それまでは、国や民族を超える情報交換は、南北アメリカ大陸、オーストラレーシア、太平洋圏といったゾーンの中でのみ行われていた。アフリカとヨーロッパとアジアでは、大陸を越えて情報交換が行われていたので（長距離におよぶため交換には数世代を要したが）、これら3大陸はまとめてアフロ・ユーラシアに区分される。

アフロ・ユーラシアは当時、集団学習において大きな優位性を持っていた。たとえば、BC480年、広大な**アケメネス朝帝国**には、当時の世界人口の40％にあたる5000万人が住んでいたと推定されている。農耕はアフロ・ユーラシアで初めて行われ、農業国家もここで誕生した。

ほかのどのゾーンより、東アジア、インド、地中海、西アフリカに大きな人口集積地が生まれたのは当然と言える。中国の諸王朝、ペルシャ、ギリシャ、ローマ帝国、インダス文明、そして西アフリカの金産出国であるマリも、この地域で栄え、そして消えていった。アフロ・ユーラシアでは、数百万という膨大な人口のせいでさまざまな病気が発生した。初期農耕社会で人びとは定住しはじめ、家畜のそばで暮らし、汚染された水を飲んでいたが、農業国家の衛生状態も似たようなものだった。それなのに人口は増えたので、多くの病気が致命的なものに進化した。

農耕時代のアフロ・ユーラシアは、天然痘、ペスト、その他さまざまな病気に何度も襲われた。伝染病の培養地のようなアフロ・ユーラシアは、ワールドゾーンの統合とともに、

マヤ文明、アステカ文明、インカ文明の位置

南北アメリカ大陸、オーストラレーシア、太平洋圏にも深刻な影響を与えた。

南北アメリカ大陸では５０００年前（ＢＣ３０００年）に農耕が始まり、**メソアメリカ**で３０００年前（ＢＣ１０００年）に最初の国が誕生した。

しかし、アフロ・ユーラシアに比べると農業の普及が遅かったため、人口は世界人口の８％にすぎなかった。

南北アメリカ大陸は大西洋によって外の世界と遮断されていたが、独自の変遷を経て、ほかの世界と同じように農業や都市が発展していった。

ＡＤ５００年、テオティワカン〔現在のメキシコシティ周辺〕という都市の人口は20万人近かったが、これは近代以前のどんな基準で見ても巨大である。メソアメリカの**オルメカ**、**マヤ**、**アステカ**、そこから南に下って**インカ**などの農業国家には、いずれも高度な文明の形跡が残っている。

「農業国家」が世界中に広がる

北ヨーロッパの広大な地域、サハラ砂漠やアラビア砂漠、中央アジアの平原には、何世紀ものあいだ国が生まれず、初期の農耕民か狩猟採集民が住んでいた。農業国家が危機に陥ったり衰退局面に入って弱体化した場合、そのような後背地が大きな脅威となる。

中国では、衰退する王朝を攻め滅ぼした〝野蛮人(バーバリアン)〟によって新たな王朝がいくつも建国されたし、ヨーロッパでは侵略してきたゲルマン人がローマ帝国に取って代わったが、それは偶然の一致ではない。

中央アフリカと南アフリカ（サハラ砂漠から喜望峰まで）では、長いあいだ農耕が行われず国家も現れなかった。この地域で農耕の開始が遅れたのは、サハラ以南のアフリカが狩猟採集生活にもっとも適した環境の一つであり、定住農耕にはもっとも不向きな環境の一つだったからだ。

それでもＢＣ１５００年には中央アフリカに農耕が広がり、ＢＣ５００年にはコンゴにも農耕文化がいくつか現れた。ＡＤ３００年頃にはアフリカ南部まで農耕が広がった。ＡＤ１５００年頃、ワールドゾーン統合の少し前には、これらの地域にいくつかの農業国家

チャコ・キャニオンのプエブロ集落の再現図
（19世紀に描かれたもの）

が現れはじめた。

北アメリカでは、ＡＤ６００年頃には初期農耕社会が出現していた。南西部の**プエブロ集落**がよく知られている。農業国家と呼ぶにふさわしい、もっとも印象的な集住は、ＡＤ８５０年から１１５０年にかけて建設された人口５０００人の**チャコ・キャニオン**である。

大平原〔ロッキー山脈の東〕、カリフォルニア、東海岸、カナダには、農耕と狩猟採集がミックスされた半定住文化や、狩猟採集のみを行う文化もあった。ヨーロッパ人に征服されていなければ、これらの地域でも農業国家が誕生していただろう。

オーストラレーシアは、「定住の罠」とも農耕生活にありがちな不衛生な環境とも無縁だった。狩猟採集生活のほうが農耕生活より健康的だが、

アボリジニが行っていた狩猟採集生活は生産性が高かったので、とくにそれが顕著だった。アボリジニは火を使って森を焼き払い、獲物を殺し、食べられる植物の実や根を採集し、移動のための道を切り開いたが、火を好むユーカリ〔ユーカリの種は山火事後の降雨により発芽する〕の森はすぐに回復した。オーストラリア大陸はじつに50万から100万人の狩猟採集民を支えることができた。

太平洋圏に人が住みはじめたのは5000年前（BC3000年）、いくつかの島は2000年前である。ニュージーランドに至っては、航海に適した北からの風がないため、AD1280年にようやく定住がはじまったばかりだ。太平洋圏は人口数百人の島々と、数千人の島が複数集まった諸島から成る。たとえば、ハワイ諸島には3万人が住み、農業と呼んでさしつかえない家畜の飼育と灌漑が行われていた。

「シルクロード」は絹を運ぶだけの道ではない

アフロ・ユーラシアには多くの農耕文明が存在し、それぞれのあいだで集団学習を共有できる可能性があった。しかし、そこに存在する国々は遠く離れており、あいだに広大な砂漠や分け入るのが難しい森林があって旅は困難だった。道中で捕らえられたり殺されたりすることもあり、集団学習は３０００年間も遅々として進まなかった。

アフロ・ユーラシア全体をつなぐ交易路はＢＣ50年まで存在しなかった。

だが、**シルクロード**と呼ばれる交易路が形成されたことによって、物と情報が中国からインド、ペルシャ、地中海へとゆっくり移動しはじめた。そして、さらにその先のサハラ砂漠を越えて西アフリカにまで伝播した。

名前はシルクロードだが、この交易路は絹だけではなく香辛料やその他の商材、さらには宗教や発明、数学的な思考も運んだ。

たとえば、ＡＤ４００年代に発明された**インド数字**は、イスラムの侵略者によってアラブに伝わり（そのため「アラビア数字」という間違った名前で呼ばれている）、中世にヨーロッパに伝わって、扱いにくい**ローマ数字**に取って代わった。

中国は人口が多く、贅沢品も香辛料も大量に保有していたので、シルクロード交易の中心地であった。中国の文物は、おもに遊牧民たちによって、一世代以上かけてゆっくりと中央アジア各地に運ばれ、最終的には中東や地中海の多くの市場に流入した。西から東には、ぶどうやさまざまな製品、馬などが移動したが、貿易のバランスは大きな人口を抱えるアジアに傾いていた。

陸と海のシルクロード

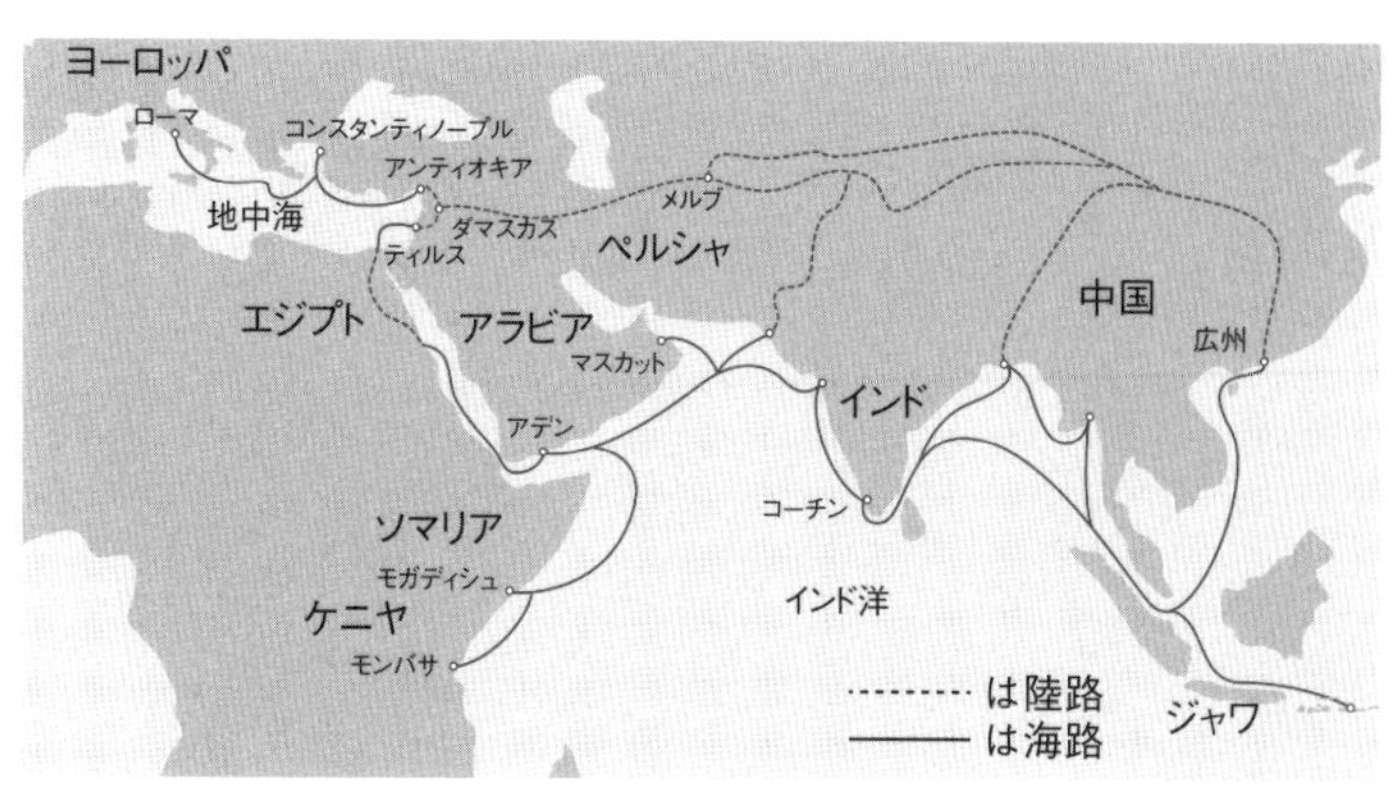

陸のシルクロードは、ローマから東地中海の複数の港を経て、砂塵舞うメソポタミア、ペルシャを通り、多くの山脈や砂漠を越えてインド、中国へと続く苦難の旅路であった。中央アジアを通過するさまざまなルートは、地形や自然の過酷さに苦しめられるだけでなく、遊牧民や帝国の軍隊に攻撃されて命や金品を奪われる危険もあった。

海のシルクロードのほうは、紅海を下ってエチオピア北部のアクスム王国（人口はさほど多くなかったが交易で富を築いて勢力を強めた）、そこからインドの港を経由してインドシナや中国南部へと続いていた。イスラム教がインドを経てマレー半島、インドネシアに広まったのは海路による。

ＡＤ１０００年頃、アフロ・ユーラシアは約3億人が住む巨大な大陸で、何百もの異なる農業国家が存在していた。シルクロードは、それらを結んで集団学習の成果を伝達する導管だった。

特定のだれかが、シルクロードの端から端まで貿易品や情報を運んだわけではない。それらがアフロ・ユーラシアを横断するのには何年もかかった。数世代かかることさえあった。そのような状況で、シルクロードは集団学習による革命の準備をゆっくりと進めた。

当時の人びとは知る由もないが、間もなく起こるその革命が人類の歴史を大きく変えることになる。

「印刷技術」で知識が爆発的に広がる

近代以前、文字に記された知識にとっての最大の制約は流通であった。膨大な量の集団学習が口頭で伝達されたが、長い時間を要したうえに間違いが入り込むことも多かった。読み書きは書記官、官僚、哲学者、エリートたちに独占され、文字で記録されたものは希少で高価だった。だが、**印刷技術**によってその状況が一変した。

中国の印刷は、漢の末期のAD220年に登場した**木版印刷**が出発点だ。1ページずつ1枚の板に彫る形式なので効率が悪かった。かさばって保管や運搬が困難なため、新しく印刷するときや変更を加えるときは、改めて最初からやり直さなくてはならなかった。

だが、1045年に**畢昇**（ひっしょう）が**可動活字**を発明した。粘土を膠（にかわ）で固めて焼いた膠泥（こうでい）活字を配列して印刷するというものだ。その後、中国では哲学、科学、農業に関する多くの書物が定期的に著され、なかには何千部も発行された本もあった。

1200年代、朝鮮で金属製の可動活字が発明された。耐久性があり、小型で並べ替えが容易で、本を速く作れるという利点があった。ただし朝鮮には印刷機がなく、インクを塗った活字の上に薄い紙を敷き、木のへらでこすって印象を取るという、時間のかかる作業が行われていた。

それでも中国や朝鮮の初期の印刷技術は、粘土や金属製の可動活字を使うことによって、手書きより速いスピードで文章化された知識を複製することができた。それによって流通する本の数が増え、文字が読める人にとっては吸収できる知識の量が増えた。

ただし、東アジアでは19世紀まで木版印刷が主流であったため、本の流通によって促進される集団学習にはおのずと限界があった。

ヨーロッパでは、1450年頃に**グーテンベルク**の印刷機が発明された。シルクロードを経て東方から輸入された金属製の可動活字と、ワインづくりに使うブドウ圧搾機の技術が組み合わされたことで、版をすばやく組んで比較的速く紙に刷ることができるようになった。これが印刷に革命をもたらした。1460年代には、この印刷機で、3人の男性が100日で200部の本を作ることができた。中世に3人の書記官がそれだけの部数を作ろうとしたら30年かかっただろう。

6世紀のベネディクト派修道院の蔵書数はわずか50冊前後だった。15世紀半ば、西洋最大の図書館はバチカンの図書館だったが、蔵書数は約2000冊にすぎなかった。だが17〜18世紀には、そこそこの学者なら、その程度の本は一人で簡単に手に入れることができるようになっていた。

ある推定では、1450年から1500年までの50年間に作られた本の数は800万冊とされている。これは、500年からその時点までにヨーロッパで筆写された書籍の総数を上回る可能性が高い。1500年から1600年にかけては、**1億4000万から2億冊**の本が印刷された。これは集団学習の面でヨーロッパ人に圧倒的な優位性をもたらし、ルネサンスや宗教改革、科学革命をもたらすことになった。

豊富な知識が生み出され、その情報にアクセスするための接続性が高まり、そして識字率も徐々に上昇したことにより、人間社会の複雑さはさらに爆発的に増大しようとしていた。

グローバル化

CHAPTER 10

破壊と苦しみの
ネットワーク

THE UNIFICATION
OF THE WORLD

人類はアフロ・ユーラシアから、ほかのワールドゾーンに進出した。

強大な中国が産業革命の一歩手前まで発展した。

アフロ・ユーラシア起源の病気が世界で何百万人もの命を奪った。

トルコ人がシルクロードの貿易を遮断したため、ヨーロッパ諸国が海に進出し、複雑さの次元が高まった。

奴隷制が続いた。

人類は複雑さがもたらす進歩や快適の代償を支払うことになる。

ネットワークの統合に向かう世界

AD1200年には世界の人口はおよそ4億人に達していたが、そこに至る途中、永年サイクルによる落ち込みがなかったわけではない。たとえば、AD1年の世界人口は約2億5000万人であったが、ローマ帝国、漢王朝、その他多くの農業国の衰退と崩壊を経た600年には2億人にまで減少していた。しかしその後1200年までに、それまでの最大値を大きく上回る水準にまで回復したのである。

陸と海のシルクロードは、アフロ・ユーラシアを、思想と技術革新を共有する強固な集団学習のネットワークとして統合した（恐ろしい病気も共有するようになった）。

ほかの三つのワールドゾーン（南北アメリカ大陸、オーストラレーシア、太平洋圏）はまだこのネットワークに参加しておらず、集団学習を加速させることはできなかった。

すべてのワールドゾーンが一つの集団学習のネットワークに統合されれば、すべての人間に備わっているイノベーションを生む潜在的な力が生かされることになる。人類は近代化への道をまっしぐらに歩みはじめ、さらなる複雑性の高みへと向かっていくだろう。

世界が一つのネットワークに統合される

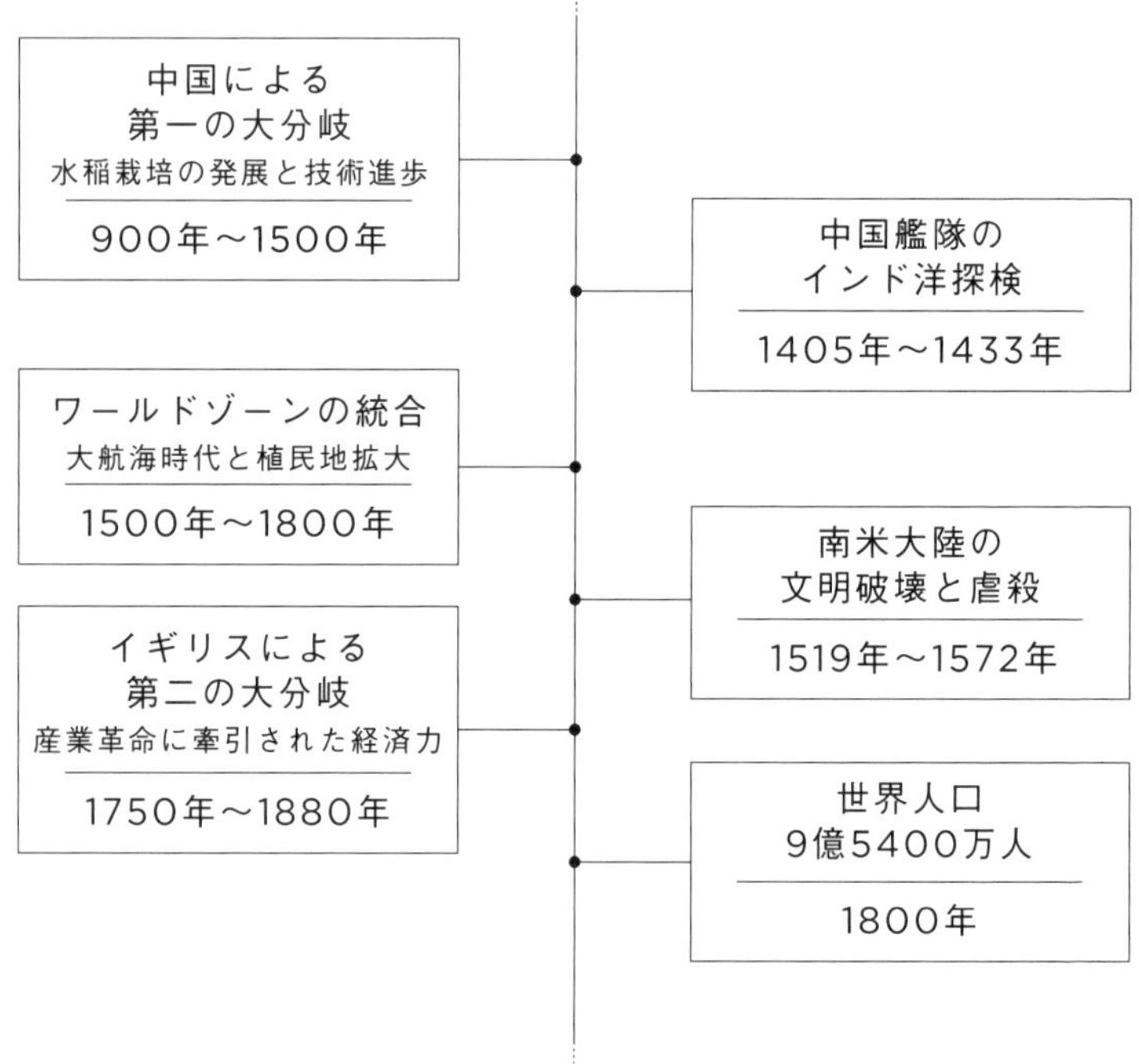

中国が「世界で人気のもの」を大量につくる

農業国家は富（つまりエネルギーフロー）のほとんどを農業から得ていた。地主は生産された作物の分け前を供出させ、地代を徴収した。中央政府は税や製品や労務を納めさせた。

しかし、シルクロードの出現によって富の源泉が変わりつつあった。商人が儲けを増やし、影響力を持つようになったのだ。

商業国家であるイタリアのベニス、ジェノバ、フィレンツェは、国土は小さかったがヨーロッパでもっとも裕福な国となった。セイロンや南インドで香辛料貿易に携わった商人やタミル人の王たちも富を築いた。インドネシアのシュリーヴィジャヤ王国も香辛料の海上交易の隆盛によって富と権力を拡大した。いずれも小国だが、商業によって得た富は、同規模の国が土地から得る税収を圧倒した。

11世紀には**十字軍**の遠征が始まり、ヨーロッパと中東の関係がさらに密接になった。**ヴァイキング**が一時的だが北アメリカに進出した。

マルコ・ポーロが1271年に中央アジアを横断する危険な旅をして中国に渡った。彼の旅行記『**東方見聞録**』を読んだヨーロッパ社会は、東アジアの豊かさに衝撃を受け、商人たちはこぞって中国との貿易で富を得ようとした。

ヨーロッパ諸国が中国との貿易に熱心だったのには、もっともな理由がある。

ヨーロッパもアフリカも、自国では生産できない**絹**、**香辛料**、**陶器**などを手に入れるためにアジア市場に進出したかったのだ。

中東はヨーロッパとアジアを結ぶ唯一の貿易ルートが通る地域なので（アフリカの南を迂回する海のルートはまだ開拓されていなかった）、イスラムの歴代カリフ〔最高指導者〕は、中国の製品やインドの香辛料をヨーロッパに仲介することで相当な儲けを得ていた。

しかし、もっとも望まれる商品を大量に生産し、貿易全体を支配していたのは**中国**だった。

今日のグローバリゼーションを牽引しているのは裕福でテクノロジーが発達した西洋だが、それとまったく同様に、中世のグローバリゼーションを推進したのは裕福で技術が発達した中国だったのである。

人口扶養能力を激変させた発明
――中国による第一の大分岐

西洋は19世紀に経済と技術で世界をリードしたが、その何世紀も前に、中国の経済と技術は産業革命が起きてもおかしくないほど発達していた。

それはひとえに集団学習による。集団学習を促すのは潜在的なイノベーターの数、すなわち何らかの革新を生み出す可能性のある人間の数である。要するに、人口が多ければサイコロを振れる回数が増え、当たりの目が出る確率も高まるということだ。

500年から1100年にかけて、中国南部で**水稲栽培**が広まると、人口扶養能力が爆発的に増大した。小麦が1ヘクタール当たりで養えたのが3人だったのに対し、伝統的品種の米は6人前後を養えるようになった。

このような能力増大は**宋**の時代（960年〜1279年）以後、顕著になった。宋政府はベトナムから高収量の米を導入して国に広めた。各地方で農業指導者を任命し、新しい農業技術や新しい道具、肥料、灌漑などの知識を普及させた。新たに開墾した土地に対する減税や、新しい農業機械や作物に投資する農民には低利の融資も行った。宋の次の元の

1100年頃の世界の人口構成

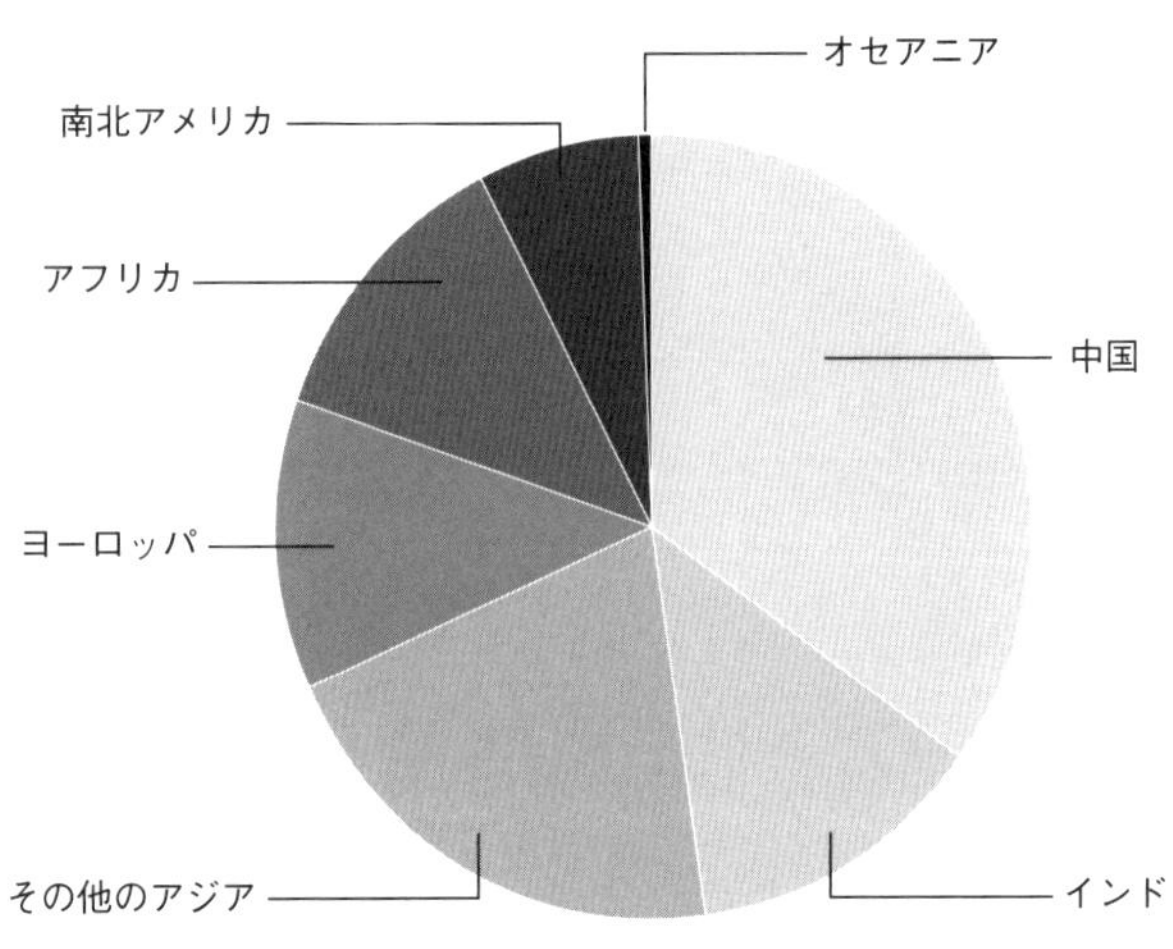

時代、中国政府は農作物の収穫量を引き上げるために、農業技術を教える『農桑輯要（のうそうしゅうよう）』を地主に配布した。こうした努力の結果、水稲は1年に2回、条件によっては3回も収穫することができるようになった。

宋の時代、900年代から1000年代にかけて、中国の人口扶養能力は5000万〜6000万人から1億1000万〜1億2000万人（世界人口のほぼ半分）まで増加した。たとえば、65キロメートル×80キロメートルの農地で500万人が農業を営むという、記録的人口密度の地域も生まれた。

1100年頃には、世界人口に占める割合はヨーロッパが10〜12%だったのに対し、中国は30〜40%までになった。

中国では宋の時代に集団学習が飛躍的に進んだ。宋は**貨幣**を毎年鋳造し、**紙幣**を導入した。農業技術も向上し、堆肥の使用が増え、作物の新種が開発され、水力利用技術や灌漑技術が向上し、栽培品目の特化が進んだ。石炭を使った**製鉄**(イギリスの産業革命を牽引したものと同じ技術)が行われ、鉄の生産量は、唐の時代(618年~907年)の年間2万1000トンから12万5000トンに増加した。宋は**火薬**を発明し、その威力を初めて使った王朝でもある。織物生産でも、機械化に向かう端緒がうかがえる。

中国で産業革命が起こっていたら歴史はどうなっていただろう、と想像するのは面白い。社会も経済もまったく違う展開をしたはずだ。アメリカやオーストラリアに到達したのは、植民地化をもくろむ中国の船だっただろう(不用意にもアフロ・ユーラシアの致命的疾病を伝染させてしまうのも中国ということになる)。別の展開をした世界で、帝国主義による利益を得るのは中国であり、ヨーロッパはその犠牲になったことだろう。

「黒死病」が世界を一周する

集団学習、農業技術の進歩、農地の開拓により、世界の人口は1100年の3億人から1200年には4億人に達した。100年で1億人の増加だ。

一般庶民の生活はほどほどに豊かだった。地代は安く、賃金もそれなりに高く、なかば定期的に肉を食べることもできた。近代以前の基準で見れば、健康状態も悪くはなかった。農耕文明はその前後の時代と比べるとかなり安定していた（少なくとも内部的には安定していたと言える）。

だが、ここで人口増加のペースが農業革新の速度を追い越した。1200年までの100年で1億人増えた世界人口は、次の100年では3200万人しか増えなかった。人口が収容力の壁にぶつかったのだ。

農民の生活水準は低下した。肉食は減り、賃金は減り、地代は上がり、零細農民は土地を売らなくてはならなくなった。エリート層の人口が何倍にも増え、広大な農地が彼らのものになった。

1315年から1317年にかけてヨーロッパで**大飢饉**が起こり、ヨーロッパの人口の15％が死亡した。1333年から1337年の中国の大飢饉でも、同程度の人口が犠牲になった。一般庶民の人口が減り、それに依存していたエリートの収入も減少し、一部は困窮状態に陥った。世界中で政治が不安定になり、エリート層の反乱、暗殺、宮廷クーデターが増加した。

しかし、シルクロードのせいで、もっと恐ろしい病気が広まろうとしていた。**ペスト**、いわゆる「**黒死病**」である。

これはペスト菌によって引き起こされる恐ろしい病気で、ネズミによって菌が運ばれ、さらにノミがそれを媒介する。感染したノミに噛まれると、鼠径部のリンパ節が腫れ、触れると痛みを感じるようになる。血液中に細菌が入り込むと、発熱、衰弱、錯乱、頭痛、血性嘔吐、筋肉や内臓器官の壊死が起こり、体が黒く変色して壊疽が進行することもある。

ペストの治療を行った医師

通常、感染後1週間から10日で死に至り、感染者のおよそ80%が死亡した。肺ペストの場合は死亡率90~95%で、罹ってからわずか2~3時間で死亡することも多かった。

シルクロードは黒死病を東から西、西から東へと運んだ。

中国では1340年代に散発的に発生し、1353年から翌年にかけて全土で深刻な大流行が起こった。その結果、人口の減少、エリート層の反乱、国家の崩壊が起こり、１３６８年に元朝が倒れて明朝が誕生した。黒死病とそれに続く恐慌により、１２００年に1億２０００万〜1億４０００万人であった中国の人口は、１３９３年には６５００万人まで減少した。

１３３５年の時点で、黒死病は中央アジアからペルシャにも広がり、モンゴル帝国の分裂（１２５６年〜１２５９年）以来この地域を支配してきたイル・ハン朝では、支配者を含む人口の30〜50％が死亡したと推定されている。このためイル・ハン朝は敵対するいくつかの王国に分裂した。

さらに、黒死病は１３３８年から１３４４年にかけて、北方の遊牧国家**ジョチ・ウルス**〔いわゆるキプチャク・ハン国〕の交易路に蔓延し、人口の30〜70％が死亡したと推定されている。

１３４６年、すでに感染者が出ていたジョチ・ウルスの軍隊は、ジェノバ支配下のクリミアの貿易港カッファを包囲したとき、感染によって死んだ兵士の死体を投石機で城壁越しに投げ込んだ。歴史の記録上、**生物兵器**を用いたはじめての戦争である。

黒死病はジェノバの商人の貿易船に入り込み、地中海一帯に感染を広めた。

１３４７年にコンスタンティノープルの港に到達した黒死病は、陸路でアナトリア地方に広がった。１３４８年にはダマスカスに到達し、１日に推定２０００人が死亡した。同年、エジプトに入り込み、カイロでは人口の50％が死亡したと推定されている。1349年には、イスラム教徒の聖地巡礼によって、黒死病は聖都メッカに到達した。

1347年、ジェノバの商人たちはギリシャ、シチリア島、サルデーニャ島、コルシカ島、マルセイユへと旅をした。1348年にはイギリス、アイルランド、北フランスにも活動範囲を広げた。

1349年、黒死病はスペイン南部を襲い、遠く北アフリカのモロッコにまで到達した。感染者を乗せた船はノルウェーのベルゲンの港にも入った。1350年には、感染はイングランドからスコットランドへ、ノルウェーからスウェーデンへ、そしてフランスから神聖ローマ帝国にも広がった。1351年と53年には、ポーランドとロシアがそれぞれ被害を受けた。

ヨーロッパ全域に広がった致死的な病の難を逃れたのは、フィンランドの寒冷地に住む少数の人びとだけだった。

1300年には4億3200万人だった世界人口は、飢饉とペスト、その後数十年続いた暴力的不安定（人口急減後に陥りやすい状態）によって、1400年には3億5000万人まで減っていた。

しかし人口が減少することで、庶民の暮らしがふたたび豊かになるという興味深い副次的効果が生じる。

労働力不足によって賃金が上昇し、所有者がいなくなった広い農地の地代が下がり、零細農民が農場を維持できるようになり、買う人が減って食料価格が低下するのだ。農民は、現在の経済学用語でいう可処分所得さえ得て、ささやかな贅沢を楽しんだかもしれない。アフロ・ユーラシアの庶民は、産業革命以前のどの時代の人間より高い生活水準と〝実質賃金〟を享受したのである。

中国が大艦隊で「世界探検」をする

黒死病以後、ヨーロッパ征服をもくろむ**オスマン帝国**はシルクロードの陸上交易の大部分を遮断した。それを受けて、アフロ・ユーラシア大陸の両端の中国とヨーロッパで、海路による新たな交易ルートを求める探検家たちが現れた。

１４０３年、明王朝は軍船と商船から成る世界最大級の艦隊の建造に着手した。当時としては圧倒的な規模で、１４０５年に探検に出た船団は３１７隻編成だった。その中には長さ約１２０メートル、３～４層構造の船もあり、船団全体で約２万８０００人の乗組員を運んだ。その中には大勢の兵士も含まれ、朝貢貿易の交渉に凄みを加えた。

大航海は1405年を皮切りに7回行われた〔鄭和の南海遠征〕。中国艦隊は東南アジアを回り、何度かインドにも寄港している。インドネシアも訪れて貿易を行った。アラブや東アフリカにも何度か上陸している。

最後の航海を終えて艦隊が中国に帰還したのは1433年だった。この航海を最後に、多くの天然資源と贅沢品を持つ強大な帝国であった中国は**孤立主義**に転じた。

もし、中国がこうした航海を続けていれば、やがてアフリカ大陸の南端を回ってヨーロッパと直接貿易を始めていたかもしれない。インドネシアからさらに南下してオーストラリアに渡っていた可能性もある。太平洋を航行して南北アメリカ大陸に到達することもできただろう。

容赦のない「植民地獲得競争」が始まる
——大航海時代の訪れ

15世紀、アフロ・ユーラシアのもう一方の端に位置するヨーロッパでは、国家は黒死病以前のように農民から税金を取ることができなくなり、商人や商業が好ましいものと見なされるようになった。しかし、ヨーロッパ征服をもくろむオスマン帝国がシルクロードを通る貿易の大半を遮断してしまい、ヨーロッパは反発した。

ポルトガルとスペインは、1420年代にはアフリカ沖のカナリア諸島、マデイラ諸島、アゾレス諸島への上陸を果たし、巨大なアフリカ大陸への足がかりを確立しつつあった。

1440年代から50年代にかけて、ポルトガルはマリ帝国〔西アフリカ〕と大規模な貿易を開始し、胡椒（こしょう）、象牙、金、そしてアフリカ人奴隷の貿易を行う権益を獲得した。1488年には**バルトロメウ・ディアス**がアフリカの喜望峰に到達し、1498年には**ヴァスコ・ダ・ガマ**がアフリカを回って**インド**に到達して**香辛料**を持ち帰った。ヴァスコ・ダ・ガマは敵対するオスマン帝国を迂回することで、東地中海から購入した場合の5%の費用で物品を購入することができた。

アフリカ大陸を迂回する航海の問題は、赤道付近で**赤道無風帯**と呼ばれる地域にぶつかることである。風が弱く航海に支障をきたすことが多く、危険な雷雨やスコールに見舞われることも少なくない。

そこで別の航路の模索が始まった。1492年、アラゴン王家のフェルナンド2世とカスティーリャ王家のイサベル1世は、ジェノバの探検家**クリストファー・コロンブス**に航

鉱山の生産目標を達成しなかった先住民の手を切り落とすコロンブス隊

海を委託した（およそ500年前にヴァイキングがすでに同じ航海を行っていることを彼らはほとんど知らなかった）。

アフリカに向かわず、西に向かってもインドに到達できるはずだと考えたコロンブスは、8月にカスティーリャを出航して西に向かい、10月に**バハマ諸島**に到着した。その後、**キューバ本島**、**イスパニョーラ島**に上陸した。

コロンブスは先住民に奴隷労働を強い、女性を性的奴隷とし、従わない者の手首を切り落とした。その間、コロンブスたちがヨーロッパから持ち込んだ病気によって島では死者が増えていった。コロンブスは死ぬまで、自分はアジアに上陸したと思い込んでいた。

1519年、スペインの君主はポルトガルの探検家**フェルディナンド・マゼラン**に5隻の船を与え、南北アメリカ大陸を南下し、太平洋に出る航海を命じた。マゼランは広大な太平洋を渡って**フィリピン**に到着したが、1521年に殺された。1522年、**フアン・セバスティアン・エルカーノ**指揮下の1隻だけがスペインに戻り、世界初の地球一周を果たした。

16世紀には、国も投資家も個人も莫大な富を求めはじめ、ヨーロッパや植民地の商人たちがわれさきにとアジアや南北アメリカに進出した。**ハプスブルク家**のスペインは、こうした貿易ネットワークにおいて主導的な地位を確立し、中南米でもっとも鉱物資源の豊富な地域を植民地化することに成功した。

スペイン、ポルトガル以外では、イギリス、フランス、オランダなども植民地獲得に乗り出した。スコットランドさえ何度か植民地を得ようと試みている。他方、中央および東ヨーロッパの国々は、自国の戦争と地理的な理由で、大航海時代の利益をつかむことがほとんどできなかった。

1519年から1521年にかけて、スペインの**エルナン・コルテス**は数百人の**コンキスタドール**〔征服者〕を率い、ヨーロッパから持ち込んだ火器と伝染病によって**アステカ**を征服した。ヨーロッパの病気に免疫のないアステカ人の多くが死んだことと、コルテスと現地の反アステカ勢力の結託により、メキシコ全土は数年でスペインの手に落ちた。

1532年、同じくスペインの**フランシスコ・ピサロ**が**インカ帝国**に同様の遠征を行い、やはり火器とヨーロッパから持ち込んだ伝染病によって征服を試みた。インカ帝国は広大で地形的にも攻略が難しかったが、長く残酷な戦いの末、1572年に完全に征服された。

膨大な「奴隷」を強制的に働かせる
——奴隷貿易

カリブ海と南米の気候は、ヨーロッパ人が**砂糖プランテーション**を経営するのにうってつけだった。問題は、過酷な農作業を行う労働力がなかったことだ。下層階級でもヨーロッパ人にこの労働を強いることはできなかった。強制できる可能性があったのは、アメリカ大陸に送られた**年季奉公人**〔渡航費、食料、住居を得る代わりに、一定期間の労働契約を結んだ労働者〕だけだった。だが、彼らも契約期間が終わると独立した入植者となり、必要な人数を確保することはできなかった。

スペインやポルトガルは当初、南北アメリカ大陸の先住民を強制的に働かせようとしたが、地理に詳しい彼らは脱走して仲間のもとに逃げ込み、残った者もアフロ・ユーラシア由来の病気で死ぬことが多かった。そこでポルトガル人は、半世紀前からアフリカの支配者とのあいだで行っていた**奴隷貿易**を利用することにした。

5500年前に農業国家が誕生して以来、奴隷はつねに存在した。ヨーロッパにも、アフリカにも、アジアにも奴隷制度はあった。アステカにもインカにも奴隷がいた。中国、韓国、インドにもいた。農耕開始から産業革命まで、地上に生きた550億人のうち、30億~100億人が奴隷であったと推定されている。

ヨーロッパ人は奴隷制を知っていた。ローマ人は地中海に沿って巨大な農園を所有し、数百万人の奴隷を働かせていた。中世になると、奴隷と**農奴**の区別があいまいになり、大きな違いもなくなった（農奴のほうが奴隷よりましだったのは確かだが）。

実際、農奴は中世初期の古い奴隷制度の変形版であって、「農奴（サーフ）」という言葉はラテン語の「奴隷（セルウス）」に由来する。ヨーロッパの東のロシアでは、1861年まで農奴制が続いた。

西アフリカの諸王国は、15世紀を迎えたころには、すでに数世紀にわたってイスラム諸国と奴隷貿易を行っており、サハラ砂漠経由で奴隷を強制的に輸出していた。イスラム諸国は占領した地域のヨーロッパ人も奴隷として扱っていたが、11世紀以降、そのようなヨーロッパ人奴隷の数が減り、アフリカ人奴隷の需要が高まった。

アフリカで行われていた奴隷貿易の光景

西アフリカの諸王国は、おもに戦争で征服した敵を奴隷にして（借金を返済できなかったり、奴隷の家に生まれたために奴隷になる者もいた）、自国で使役するか、シルクロードを経由する奴隷貿易で金（かね）に換えた。

１４４０年代にポルトガルがアフリカの支配者たちと交易を開始すると、アフリカ人による海上交易での奴隷貿易も拡大した。

大西洋を越えて運ばれるアフリカ人奴隷の10〜20%が、劣悪な海上輸送環境の中で死亡した。陸路でサハラ砂漠を東へ移動するルートでは、売られたり捕らえられたりした人びとの25〜50%が死亡した。

生存者の数を合計すると、４００年間で１１００万〜１４００万人のアフリカ人が大西洋を渡って西に運ばれ、１１００年間で１０００万〜１７

00万人のアフリカ人がサハラ砂漠を越えて東に運ばれた。アフリカの農業国家では、平均すると人口の5〜15%が奴隷であった。

まだ「事実上の奴隷」が4700万人いる

奴隷制は農業国家の通例であり、奴隷がいない地域や期間のほうが例外だった。鎖につながれた人びとにとって、なんとおぞましい5000年間だったことだろう。

大西洋を渡るアフリカ人奴隷の売買全体の45%に**ポルトガル**が関与し、全アフリカ人奴隷の35%は植民地ブラジルに向かった。ブラジルは最後に奴隷制を廃止した国の一つで、1888年まで奴隷制を続けた。

スペインによるアフリカ人奴隷の売買は約15%を占め、そのほとんどが南米やカリブの島々に運ばれた。スペインはアメリカ先住民を奴隷とすることにも熱心で、とくに採鉱のために使役した。**フランス**はアフリカ人奴隷の10%をカリブ諸島の所有地(おもにプランテーション)に運んだ。**オランダ**も同様で、アフリカ人奴隷の5%に関わった。

17世紀から18世紀にかけて、プランテーションでの奴隷労働は、砂糖だけでなく、タバコ(砂糖同様、中毒性の強い製品)や綿花の生産へと拡大した。このため、北アメリカ大陸にあったイギリスの**13植民地**〔米国独立時の13州〕の中でも、南部の農場で奴隷労働が望まれるようになった。イギリスはアフリカ人奴隷の15%をカリブ海のプランテーションに輸入し、約10%をのちにアメリカ合衆国となる植民地に輸入した。合計すると奴隷貿易の25%を占めた。

1500年代には推定40万〜50万人のアフリカ人がヨーロッパ人の奴隷となった（アフリカの人口の1%）。1600年代には100万〜150万人（2・5%）に増えた。1700年代には、500万〜800万人（10%）が買われ、縛られ、過酷な状態で奴隷船に押し込まれ、南北アメリカ大陸に送られた。

これほど恐ろしい規模に達したことも手伝って、ついに1700年代にイギリスで奴隷廃止運動が起こった。30年にわたる国民と議会の運動によって、1807年に**奴隷貿易禁止法**が制定され、奴隷の売買と輸送が違法となった。イギリス海軍は他国の奴隷船の阻止にも動いた。

それでもイギリス以外の国の奴隷貿易は続き、1800年代を通じてアフリカからさらに300万〜400万人（アフリカの人口の4〜5%）の奴隷が新大陸に運ばれた。

イギリスは1833年に、貿易だけでなく制度そのものを違法とする**奴隷制度廃止法**を定めた。その後、他国も暴力的革命や内戦、あるいは平和的な立法措置などを経て、数十年の年月をかけて徐々に奴隷制廃止に向かった。

一方、当のアフリカでは奴隷制度が続き、とくに北アフリカでは宗教的にも民族的にも制度が正当化された。19世紀後半、ヨーロッパの帝国主義諸国はアフリカから奴隷制を一掃すべく介入したが、その取り組みは緩慢で効果はなかった。植民地側の勢力の強さにもよるが、見せかけだけの取り組みであったり、先延ばしが図られることもあった。

植民地が過去のものとなった今日でも、アフリカには奴隷制の問題がある。現在、ナイジェリアには70万人、エチオピアには65万人、コンゴには50万人、アフリカ全体では合計500万～1000万人が実質的には奴隷として生活している。

アフリカ以外では、事実上の奴隷がインドに1200万～1400万人、パキスタンに200万人、中国に300万人存在する。世界全体では4700万人の奴隷がおり、これはスペインの人口にほぼ匹敵する。

「馬」がアメリカを一変させる

ヨーロッパ人は、南北アメリカ大陸とオーストラレーシアに、植民地経営に必要な家畜を持ち込んだ。**羊**や**牛**が大量に飼育された結果、それらは二つの世界で、あっという間に人間の暮らしに欠かせない哺乳動物となった。1600年に南北アメリカ大陸で飼われている羊と牛は2000万頭まで増えていた。

馬については、人類は1万2000年前に南北アメリカ大陸に到達したとき、生息していた野生の馬を狩り、複数存在していた種を絶滅させた。

だが、そこにヨーロッパ人がふたたび馬を持ち込んだ。アメリカ先住民がその一部を手に入れた結果、大平原での彼らの生活様式は根底から変化した。多くの部族が、何千年も営んできた農耕文化から、ふたたび狩猟採集の移動生活に戻ったのである。

馬を操るようになる前の先住民は、毛皮でカモフラージュし、地面を這ってバッファローの群れに近づき、群れが逃げ出す前に槍で突いていたが、馬にまたがった彼らは、逃げるバッファローを追いかけながら槍で突き、崖の端に追いつめた。

19世紀までの300年間、大平原に暮らす人びとは馬を中心とする**騎馬文化**を育んだ。南北アメリカ大陸にはつねに馬が存在し、生活の一部であったとする先住民の記録もある。

南北アメリカ大陸の作物は、アフロ・ユーラシアに影響を与えた。

トウモロコシのカロリーは小麦より高く、作付け面積当たりで見ると米よりわずかに劣る程度である。**ジャガイモ**はカロリー面ですぐれているだけでなく、成長する過程で地味（ちみ）を肥やす力がある。トウモロコシやジャガイモは、小麦や米などより調理しやすいという利点もある。**トマト、ヤムイモ、カボチャ**など、単位面積当たりの収穫量が多い作物も南北アメリカ大陸から世界に広まった。

南北アメリカ大陸の作物を導入したヨーロッパでは人口扶養能力が20〜30%向上した。中国は1630年代に大規模な飢饉を経験したが、ヨーロッパを経由してアメリカ大陸の作物を採用したことで、その後19世紀まで大規模な飢饉は起こらず、その間に人口を1億5000万人から3億3000万人まで増加させた。

「病気」「飢饉」「暴力」で新世界の人口が激減する

南北アメリカ大陸とオーストラレーシアの住民は、アフロ・ユーラシアから持ち込まれた病気で打ちのめされた。

当時のアフロ・ユーラシアは、何千年にもわたって人類の90%が住む世界だったが、人口のほとんどは密集した農業国家に住み、基本的な衛生観念も細菌に関する知識もきわめて乏しかった。そのため病気には苦しめられたが、何百世代にもわたる時間の中で、遺伝的抵抗力を身につけてもいた。

だが、南北アメリカ大陸とオーストラレーシアの人びとにはそのような抵抗力はなかった。ヨーロッパからの入植者は、**天然痘**、**腸チフス**、**コレラ**、**はしか**、**結核**、**百日咳**、そして**インフルエンザ**を持ち込んだ。これらはヨーロッパ人にとっても致命的だが、抵抗力を持たない現地住民への影響ははるかに深刻であった。

南北アメリカ大陸では、アフロ・ユーラシア由来の病気が1500年から1620年のあいだに人口の90%を一掃したと推定されている。ヨーロッパ人がやってきただけで、わずか1世紀ほどのあいだに約5000万人が死んだのである。当時の世界人口が5億～5億8000万人であったことを考えると、その多さは際立っている。

1620年には、南北アメリカ大陸に残された先住民は500万人だけだった。史上類を見ない規模の文明の抹殺であった。アフロ・ユーラシアの病気は、19世紀の全期間と20世紀のはじめにかけて、アメリカ先住民に大打撃を与えつづけた。

オーストラリアでは、1788年から1900年にかけて、アフロ・ユーラシア由来の病気のカクテルによって少なくとも73・75％のアボリジニが死んだ。アフロ・ユーラシアと接触する前の人口が約80万人であったことは、今日のほとんどの学者が合意している。それが1850年には20万人、1900年には9万人まで激減したのである。

病気以外の死亡者数として、歴史家ノエル・G・バトリンは、ヨーロッパ人の農地拡大によって最大10万人の先住民が餓死したと計算し、植民地支配者の物理的暴力による死者数については歴史家ヘンリー・レイノルズが2万人と推定している。

まとめると、1世紀余りで人口の73・75％が病気、12・5％が飢餓、2・5％が開拓時代の暴力によって命を奪われ、総人口は80万人から9万人にまで減少したということだ。

現在の世界人口に当てはめれば、80億人が100年後に8億人になるということだ。自国の人口が90％減ると考えるほうが事態の深刻さを実感しやすいかもしれない。

それが四つのワールドゾーンが一つに結びついたことの代償である。アメリカの作物がヨーロッパやアジアの人口扶養能力を高め、人口を急増させる一方で、南北アメリカ大陸やオーストラレーシアの人口は悪夢のようなスピードで減少したのである。わかったような筆致で書いているが、これほどの生物学的恐怖がもたらす惨状と苦痛は想像するのも難しい。

複雑さが増すとき、つねに破壊と苦しみがある

これまでたどってきた複雑さ増大の歴史を振り返っていただきたい。ビッグバンと星たちの爆発。生まれたばかりの地球で展開した地獄。血なまぐさい競争による生物の進化。霊長類が持つ殺傷性向。農耕社会の窮乏と疾病。そして今日の社会。

つまり、複雑さの増大は「進歩」と同義ではない。

今日、私たちが暮らしの中で享受している快適さや便利さは、想像を絶するような犠牲の上に成り立っているのだ。

熱力学第二法則に支配された宇宙の中で、複雑さはそのレベルを高めていく。そして複雑さが増すとき、つねに破壊があり、意識あるものには苦しみがある。

私たちの歴史において、あらかじめ運命が定められているものは何一つ存在しない。歴史は予定されていたコースを進んでエアコンやスマートフォンを生んだのではない。そこに至るまでには、先の見えない激しい闘いがあった。その闘いは今日も続いている。

ただ、いまはこれまでよりほんの少し遠くまで先が見える。

こうして歴史を眺めるときに胸が躍る事実は、複雑さが増すごとに、私たちは熱力学第

二法則を克服し、１３８億年にわたる自然の重荷に勝利する可能性を少しずつ高めてきたということだ。

人新世

CHAPTER 11

人は「絶滅」に突き進んでいるのか？

THE ANTHROPOCENE

イギリスが石炭を燃料とする蒸気機関を利用しはじめた。
大量生産が科学と経済の革新の嵐を呼び起こした。
ほかの国々はイギリスに追いつこうと懸命に努力した。
世界は「人新世（ひとしんせい）」と呼ばれる新しい地質学的時代を迎えた。

宇宙の歴史上もっとも複雑な世界が生まれた

産業革命によって、社会システムの複雑さは、さらに次のレベルの閾値(しきいち)を超え、世界は現代へと大きく姿を変えた。新しい技術の爆発的進歩、思想や価値観の革命的変容、あるいは地上に生きるすべての人間の生活様式の急激な変化など、カンブリア紀に匹敵するような激しい変化が起こったのである。

人類は地質学的スケールで「**人新世**」(アントロポセン)という新しい時代の扉を開き、生命誕生後の38億年の歴史の中で、どの種よりも急速かつ劇的に地球に影響を与える存在になった。人新世というのは、最後の氷河期以後に始まった**完新世**に続く地質学的な時代区分で、「人間」を意味するギリシャ語の「アントロポス」が語源である。

私たちはいま、知られているかぎりの宇宙の歴史において、比べるものがないほど複雑な世界で生きている。

構造的な複雑さという面では、一つに統合された近代のグローバル・システムは、**人口80億**という未曾有のレベルに達した。その全員が集団学習のシステムにおける潜在的イノベーターである。そして、人びとの思考は、ほとんど瞬時のコミュニケーション、交通手段、前例のない水準の識字率によって結ばれている。この知識のネットワークを支えているのが、貿易、サプライチェーン、法律、エネルギー流通の入り組んだネットワークであり、かつてないほど多様化した労働である。

エネルギーフローという点では、社会が使用しているエネルギーは、農業国家時代の平均10万エルグ／g／sから、19世紀の工業時代には50万エルグ／g／sに増え、今日の先進社会では200万エルグ／g／sにまで増大している。

「産業革命」でイギリスが圧倒的に豊かになる
――イギリスによる第二の大分岐

このようなエネルギーフローの増大をもたらした最大の要因は、工業生産に**化石燃料**を使ったことである。化石燃料とは石炭、石油、ガスのことだ。「化石」と呼ばれるのは、6億年前から1000万年前にかけて死滅した生物の遺骸だからである。

3億5000万年前以降に地上に倒れ落ちた巨木が地殻変動によって圧縮され、岩盤の中に硬く厚い層として形成されたのが**石炭**だ。石炭を燃やすと何十億という植物の凝縮されたエネルギーが放出される。

化石燃料は、産業機械を動かすことで、人間の労働力や動物の労働力、あるいは薪の燃焼をはるかに超えるエネルギー源となる。それが18世紀と19世紀の産業革命の原動力となり、現在でも人類のエネルギー網の大部分を支えている。

石油も同様に、何億年も前に死んだ単細胞生物（多細胞生物も含まれることがある）が地殻変動の力で圧縮され、ドロドロの状態になったものだ。**ガス**は生物の死骸が化石化して石油になる際に、その中に残っていたガスが圧力で押し出されたもので、いわば石油ができるときの副産物である。

18世紀、イギリスで**産業革命**が始まった。

1712年から1780年代にかけて**蒸気機関**の改良が重ねられ、織物は手織りより**紡績機械**のほうが速く織れるようになり、**高品質の鉄**が大量に精製されるようになった。これらすべてが大量生産の火種となった。

イギリスでは繊維産業の発達によって、1750年から1800年にかけて綿織物の価格が半分にまで下がった。1820年には、イギリスは世界一の鉄鋼生産国になった。石炭生産量は1750年から1870年にかけて7倍になった。

経済に占める製造業の割合を見ると、1800年のイギリスは、まだ農業国家であったどの国と比べても3倍も高かった。人口の少ないイギリスが地球でもっとも豊かな国になったのは、それが理由である。

イギリスでは、もはや農業はそれほど支配的な産業ではなくなった。1750年にはイギリスのGDP（国内総生産）の約50％が商業によるものであった。人口に占める農民の数は、1750年の60％から、1850年には30％まで減少した。19世紀には職業の多様化が大きく進み、エンジニア、弁護士、科学者、起業家など、より多くの専門家が現れて集団学習に貢献した。これがさらなるイノベーションの爆発を引き起こした。同じような現象は工業化したすべての国で起こっている。

製造業におけるイギリスのリードは1880年頃まで拡大しつづけ、決して多くない人口で（1880年当時の世界人口の約2～2・5％）、世界で生産される工業製品の23％を生産するまでになった。

比較のために中国を見ると、農業国家であった中国は、1880年、世界人口の30％を占めていたが、世界の工業製品の12％しか生産していなかった。80年前の1800年には約33％を生産しており、人口規模にほぼ見合った水準だった。

増大する世界人口

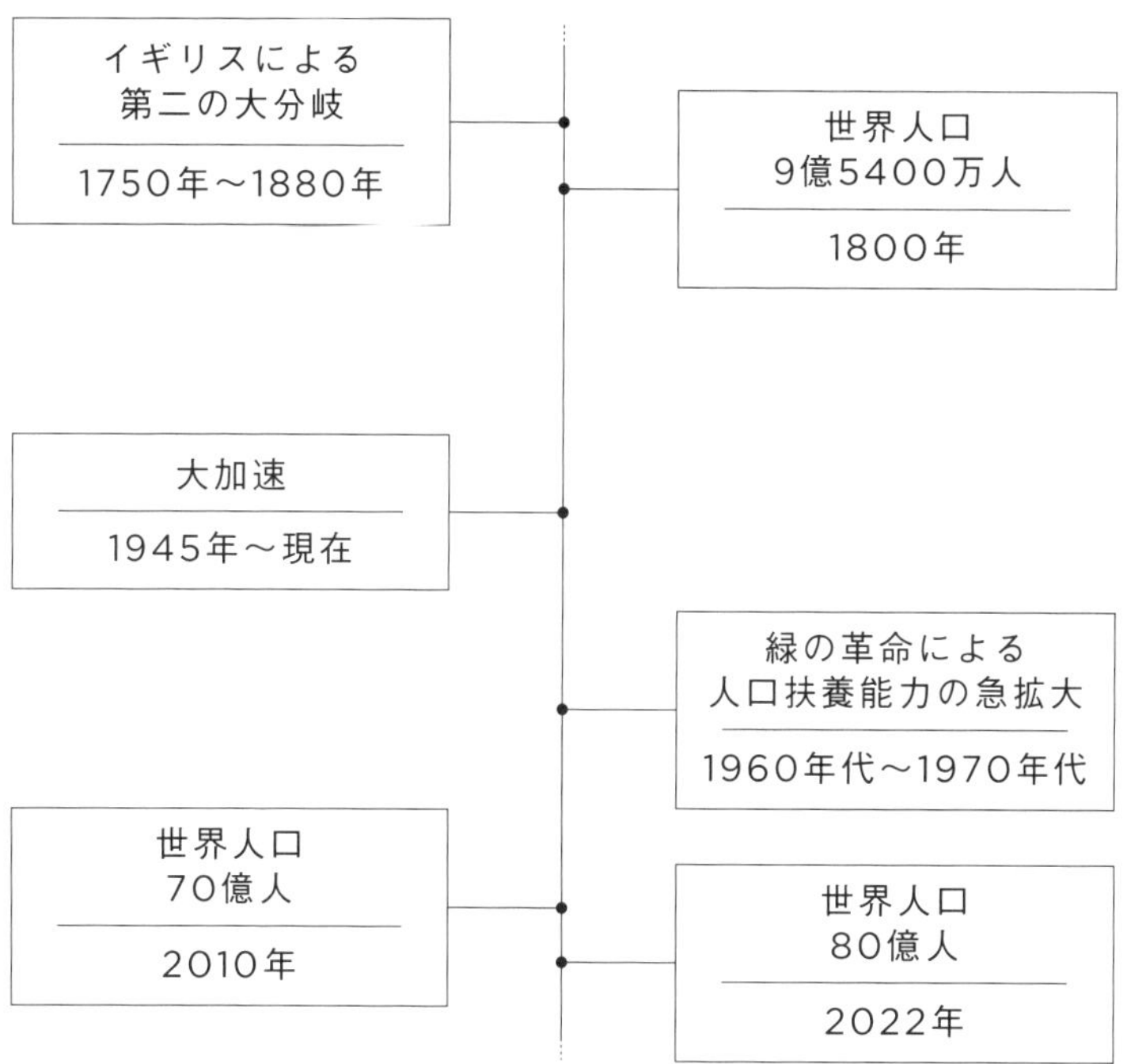
イギリスによる
第二の大分岐
1750年～1880年
世界人口
9億5400万人
1800年
大加速
1945年～現在
緑の革命による
人口扶養能力の急拡大
1960年代～1970年代
世界人口
70億人
2010年
世界人口
80億人
2022年

各国が「工業化」で猛追する

イギリスの工業化は、少なくとも数十年（分野によっては1世紀以上）、他国の先を進んでいた。イギリスは**ナポレオン戦争**でフランス軍およびその同盟国と戦い、**米英戦争**でアメリカと戦って屈せず、**アヘン戦争**（１８３９年〜１８４２年）ではかつて強大だった中国を破って、人類史上最大の帝国を築き上げた。

工業化の利点が明らかになるにつれて、ほかの国もイギリスをまねて工業化をめざした。ベルギーは、１８２０年代から30年代に工業化を進めた。

フランスは、１８４０年代に工業化に着手したが成否なかばで、１８８０年の世界の工業生産に占める割合は、イギリスの23％に対して８％にとどまっていた。追いついたと言えるのはそれ以後のことだ。

ドイツでは、プロイセンが１８５０年代に工業化に着手したものの、ほかのドイツ諸国は遅れた。だが１８７１年の**ドイツ統一**後に工業化が進み、１９１０年代から20年代にイギリスの工業生産力を追い越した。工業生産の水準と二つの世界大戦の発生は無関係ではない。

アメリカは工業生産でイギリスをはっきりと凌駕した最初の大国であった。

１８６５年の南北戦争終結後、西部開拓と北部の工業化に投資し、膨大な数の移民を受け入れた。１８８０年には、イギリスをしのぐ人口５０００万人に達し、世界の工業製品の15％を生産するようになった。１９００年には人口７６００万人、世界の工業製品の25～30％を生産するまでになった。イギリスの影が薄くなり、それ以後はアメリカのリードが一方的に広がっていった。

少数の「帝国」が世界を支配するようになる

現代の世界で超大国になるための条件ははっきりしている。工業化による発展を果たしたうえで、できるだけ多くの人口を持つことだ。

工業化を果たした国に15億の人口があれば、残りの65億を支配することができる。中国やインドが本格的な工業化を進めているのはそのためである。人口14億の中国が3億３０００万のアメリカと同程度の工業化を果たしたら、どんなことが起こるだろう。

当時、欧米諸国と肩を並べ、世界に存在感を示そうとする二つの先進国があった。

一つは**ロシア**だ。19世紀に工業化を試みたが、1900年の工業従事者は人口の5％にすぎず、人口1億3600万人でありながら世界の総生産に占める割合は8・9％にとどまっていた。より高度な工業化のためには第一次世界大戦、ソビエト連邦の勃興、スターリンの血生臭い粛正を必要としたが、それでも世界の生産に占める割合はわずかしか伸びなかった。

それに比べれば、成功を収めたといえるもう一つの国が**日本**だ。1868年の**明治維新**後、日本は急速な近代化・工業化の時代に突入した。中央政府は西洋の専門家を招き、かなり西洋的な憲法をつくり、工業振興のために多額の補助金を出した。これにより日本は半世紀で封建国家から近代国家へと変貌を遂げた。

日本にはしっかりした工業化を果たせる人口基盤があったが、1900年当時の工業生産量は世界の2・5％にすぎず、第二次世界大戦後まで大きな変化はなかった。戦後、高度な工業化を果たし、「経済の奇跡」と称されるほどの成長によって豊かさを享受した。現在も世界上位の経済規模を保っている。

四つのワールド・ゾーンの統合、化石燃料の利用による生産力の拡大、貿易の不均衡、科学技術の進歩といった条件により、かつて存在しなかった大きな帝国がいくつか形成され、ヨーロッパ諸国、アメリカ、日本といったかぎられた国の軍隊が、世界の広大な土地と人口の大半を支配した。第一次世界大戦が始まる1914年には、世界の面積の約85%が、いずれかの帝国に支配されていた。

世界では2度の大戦と数多くの革命があったが、この不均衡はあまり変わっていない。**冷戦**下のアメリカとソビエト連邦は、巨大な帝国パワーを直接的にも間接的にも行使した。ベルリンの壁が崩壊して冷戦が終結した1989年以降は、アメリカが世界を支配している。

中国は現在、アジア、アフリカ、ヨーロッパ、オーストラレーシア、南アメリカへと影響力を拡大し、急速に成功を収めつつある。フランスも、見落とされがちだが、西アフリカに相当な帝国的影響力を保持している。世界の国の大半は、依然として少数の勢力によって支配されているのだ。

帝国の時代は20世紀半ばに終わったと考えている人は、この事実をよく考える必要がある。以前ほど目立たず行動し、PRが巧妙になっただけで、帝国はいまも存在する。

現在は「大加速」の時代にある

1870年から1914年にかけて、世界の輸出の年平均成長率は3・4%、1人当たりGDPの年平均成長率は1・3%であった。1914年から45年までの、二つの世界大戦とその間の悲惨な時期には、輸出の成長率は0・9%、1人当たりのGDPの成長率は0・91%に落ち込んだ。

その後、**核兵器**の登場により、大国間の戦争は高くつきすぎるものになった。皮肉なことだが、もっとも破壊的な兵器が生み出されたことによって、1945年から現在までの期間は、少なくとも過去5500年間にかぎれば、相対的にもっとも〝平穏〟な時期の一つとなった。

初期農耕社会での暴力沙汰や集団間の争いの多さや、31万5000年前のホモ・サピエンスの誕生から狩猟採集社会までの死因の10%が殺人であったことなどを考えると、相対的に平穏と見なしうる期間はもっと長いかもしれない。

そのため、1945年から現在まで、輸出、GDP、人口、複雑さは、前例がないほど増大した。この期間のこの現象は「**大加速**」（グレート・アクセラレーション）と呼ばれている。

1945年から2020年まで、世界の輸出は年平均6%、GDPは3%成長したが、そのインパクトは計り知れない。

考えてみれば、人間社会の複雑さが引き起こした〝加速〟のほとんどは、たかだか過去70年の現象なのだ。70年なら、加速の全期間を体験した人も少なくないだろう。


アメリカは現在、3億4100万の人口を抱え、世界のGDPの約25%を生産し、いまも世界のトップの座にある。工業化が進行中の中国は、14億の人口を擁し、世界のGDPの約18%を占めている。

インドも14億を超える巨大な人口を持つが、工業化で中国に遅れをとっており、現在のところ世界のGDPの約3・4%にとどまっている。

中国とインドのGDPは、今後その巨大な人口が経済成長の妨げにならなければ、イギリスの躍進によって起こった19世紀の「**第二の大分岐**」を逆転させて、世界人口に占める人口の割合に近づいていくだろう。

世界の人口は、1945年の25億人から現在の80億人まで増加した。人口は最初の10億人に到達するまでに31万5000年かかったが、次の10億人を追加するのに要した期間は

人新世の人口爆発

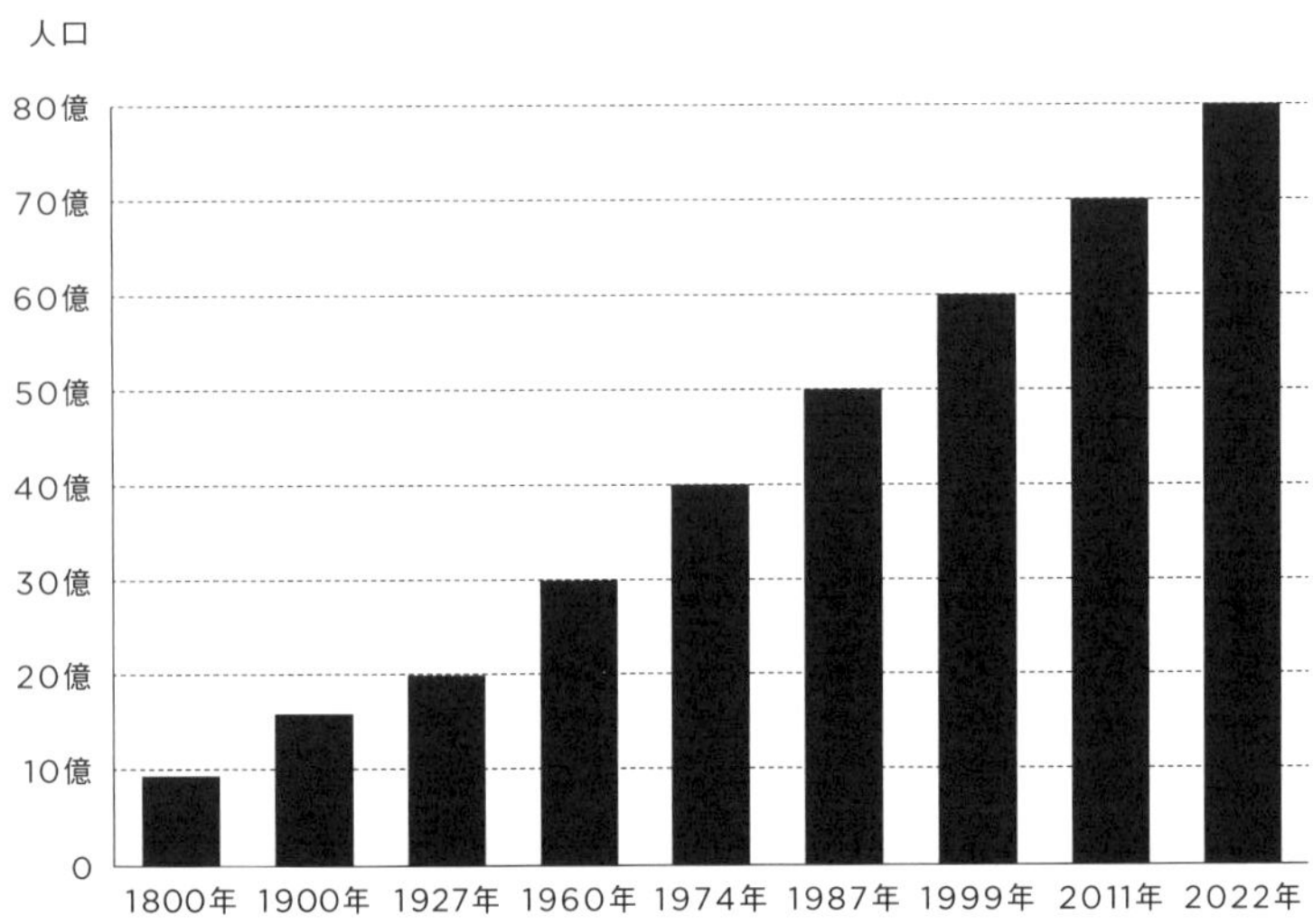

１００年、その後は十数年ごとに10億人ずつ増えている。

１９６０年代から70年代にかけて進展した「**緑の革命**」で、効果の高い化学肥料や農薬、品種改良された穀物や米が数多く生産され、世界の人口扶養能力が大きく拡大した。

インドや中国では、19世紀から20世紀の半ばにかけて恐ろしい飢饉が発生したが、それ以後、人口は爆発的に増加して、両国とも10億を大きく超える水準にまで増大した。

世界のＧＤＰは、１９１４年に2兆７０００億ドル、１９９７年に33兆７０００億ドル、２００８年に63兆ドル、そして現在では100兆ドルである。

食糧生産では、1900年に4億トンだった穀物総生産量が、現在では20億トンを超えるまでに増加した。

灌漑されている農地の面積は、1900年は6300万ヘクタール、1950年は9400万ヘクタール、現在では2億6000万ヘクタールである。

最近のごく短期間で、過去31万5000年の人間の歴史においてもっとも多くの人が、もっとも複雑な世界で働き、多くのものを生産するようになった。

いま私たちは、電子メールとインターネットによる瞬時のコミュニケーションで結ばれた80億の潜在的イノベーターのネットワークの中で生きており、集団学習はさらに加速していくものと思われる。とくに開発途上国の人びとに教育やキャリアの機会が増えるなら、その傾向はいっそう顕著になるだろう。

6度目の「大量絶滅」を引き起こしている？
——人新世という時代

いくつかの指標によると、人類は現在、地球に対して環境的にも地質学的にも支配的な力をふるっている。30億年前〜24億年前の「**大酸化イベント**」〔106ページ参照〕以来、生物が地球の進化にこれほど大きな影響をおよぼした例はない。

人新世がいつ始まったかについては、いくつかの考え方がある。

まず、1万2000年前の農耕開始をもって人新世の始まりとする説がある。このころから農地の開拓のために森林の伐採が進み、二酸化炭素の排出が増加し、人類が地球の景観を変えはじめ、多くの動物の種を家畜化して繁殖させたというのがその理由だ。

しかし人新世という概念を支持する人の多くは、そうした変化は新しい地質学的時代と呼べるほど重大なものではないと考えている。

人新世は1750年あるいは1800年頃の産業革命の始まりとともに始まったとする説もある。炭素排出量の増加と、環境を改変するテクノロジーの威力が、かつてなかったほど大きくなったというのがその理由だ。

さらに、1945年以降の大加速とともに人新世が始まったとする考えもある。人類の成長のほとんどがこの時期に起こっていることや、この時期に行われた核実験が地球の"**原子時計**"である同位体の核崩壊を攪乱してしまった、というのがその理由である。

毎年絶滅している種の数を見ると、過去5億5000万年に地球で起きた5回の大量絶滅に匹敵するような規模で、人類は大量の種を絶滅に追いやっている。人新世の人類は生命の歴史において**6度目の大量絶滅**を引き起こしている、という指摘もある。

さらに、人間による淡水の利用は1900年以後、10倍に増加しており、人間を含むあらゆる生命を支えている地球の**帯水層**が枯渇してしまうおそれさえある。世界の**サンゴ礁**の70%が危険にさらされている。この70年間で、大気中の**二酸化炭素濃度**は400ppmを超えた。過去300万年間でもっとも高い濃度だ。

どれも地球というシステムに深刻な影響をおよぼしていると思われるが、いずれについても改善に向かう兆しはない。

気候変動に目を向けると、産業革命以降、地球の平均気温は約1℃上昇し、1000年前の**中世温暖期**と同水準に近づきつつある。

もし平均気温の上昇が4℃という閾値を越えてしまうと、海洋やシベリアに蓄えられている**凍結メタン**が溶け、温室効果の暴走が始まって、平均気温が一気に5℃も6℃も上昇する危険性がある。その長期的影響は、耕作可能面積の減少、飢饉の蔓延、生物多様性の減少の加速、海面上昇による人口密集地帯の水没といったかたちで現れる可能性がある。

人新世のもう一つの心配は、人口が大幅に増加するという単純な事実だ。さいわい、工業化の進展によって先進国でも開発途上国でも人口の増加は緩やかになっている。それでも2050年には90億人、2100年には100億〜130億人に達すると予測されている。この人口増加のほとんどは、もっとも貧しく、人口過剰に対処する能力が低い地域で起こっている（おもにサハラ砂漠以南のアフリカ）。

そのことが私たちに悩ましい問題を突きつける。工業化を急いで人口増加を遅らせるか、工業化をあきらめるか（これはアフリカ、インド、中国が納得してくれそうもない）、いずれかの道を選ばなければ、すでに人口が限界に近づいている地域が**マルサスの罠**（人口が一定数に達すると、生存に必要な最低限の量しか食糧を確保できなくなり、人口も生活水準も向上しなくなって社会の成長が止まる）に陥る危険がある。

すでに現在、世界の炭素排出量の65％は開発途上国によって生み出されている。長期的な解決策は、**水素核融合**のような技術しかないように思われる。

水素核融合は、環境への影響が比較的少ない安価なエネルギーを世界に供給できる。世界を崩壊させるリスクを冒すことなく、開発途上国の工業化を進め、貧困層の生活水準を引き上げることができる可能性がある。

人類の運命
──「深刻な緊張」の時代が来るのか？

歴史を振り返れば、複雑さが新たな次元を超えて社会が急激に成長すると、その後しばしば緊張の期間が続いた。人類は農業を導入した直後にもそれを経験しているが、そのときに起こったことと比べれば、人新世の歴史はまだ浅く、深刻な緊張と呼べるほどのものはまだ経験していない。

長い進化の歴史のあらゆる段階で、多くの種が自らの生存のよりどころである環境を変容させ、稀少になった資源やエネルギーを獲得するために、自らの形質を有利な方向に進化させなくてはならなかった。

しかし最終的には、複雑さが宇宙のエネルギーを使い尽くし、複雑さそれ自体を消滅させて終わりの日を迎える。

人新世を生きる人類にとっての問いは、手遅れにならないうちにイノベーションを実現し、環境の人口扶養能力の限界との衝突を避けられるかどうか、ふたたび恐ろしい衰退と死の時代を迎えることなく生きのびられるかどうかである。

人類は輝かしい黄金の時代をさらなる高みに押し上げることができるだろうか。それとも、戦争に明け暮れる鉄の時代、死に覆われた暗黒の時代に転落してしまうのだろうか。

最終章では、いまから数世紀、数百万年、数億年、いや数兆年も先の宇宙の未来について考えることにしよう。

第 4 部

未知の時代

現在〜10^{40}年後

超未来

CHAPTER 12

すべては消えて
「無」になるのか？

THE NEAR
AND DEEP FUTURE

人新世を迎えた人類を待ち構える運命は四つに一つ。

宇宙の複雑さが自然な推移をたどって消滅に向かい、「ビッグフリーズ」「ビッグリップ」「ビッグクランチ」のいずれかによって終わりを迎える。

しかし、何兆年も先に現れるかもしれない複雑な超文明が、「ビッグセーブ」という未来を切り拓くかもしれない。

人間は奇跡的なレベルで「幸運」である

宇宙は白くて熱い1個のエネルギーの点として始まった。その中にはいま私たちが見ているものすべて、肉眼で見えるものも顕微鏡や望遠鏡で見えるものも含めてすべての原材料がすでに存在していた。

熱力学第一法則は、何ものも無から創造されることも、消滅して無に帰すこともなく、ただ形を変えるだけだと教えている（少なくともニュートン・スケールでは）。つまり、宇宙が始まったとき、白くて熱いエネルギーの点の中に、私たち自身も存在していたことになる。

私たちは宇宙の一部だ。とても複雑で、意識があり、自己を認識している宇宙の一部だ。宇宙と私たちは、切り離すことができない、あわせて一つの全体なのだ。自分自身を見つめている宇宙。これは、それだけで祝うに値する事実だ。

私たちの目には曇りがあるかもしれないが、それでも自己を超える偉大な何かを見ようとしている。それは私たちに与えられたすばらしい贈り物だ。この栄誉にあずかれる原子の塊は人間のほかには存在しない。

ビッグバンから10のマイナス35乗秒が経過したとき、観測可能な宇宙を統べ治める物理法則が確立し、同時に、エネルギー分布のばらつきによって小さな点が数多く現れた。**熱力学第二法則**が働いて、エネルギーは多くあるところから少ないところへと流れ、宇宙はエネルギーが均等に分布する空間へと変化しはじめた。

そのエネルギーの流れによって星が生まれ、さまざまな化学物質、生命体、そして社会が生まれた。宇宙の複雑さは、エネルギーの流れによって生まれ、維持され、複雑さの程度を増し加えてきた。エネルギーは太陽光から光合成をする植物へ、食卓から口を通って人間の体へ、ガスポンプからジェットエンジンへと流れる。99・999999999%まで命のない宇宙の中で、生命を宿した小さな点が次第に複雑さを増し加えてきた。

この先どうなるかわからないが、私たちは幸運にも、過去138億年のどの時点よりも複雑さを増したこの時代に立ち会うことができた。感傷にひたって言っているのではなく、**奇跡のような確率**という数学的な意味において、確かに私たちは幸運なのである。

宇宙の歴史をつらぬくトレンドは複雑さの増大であり、人類の歴史をつらぬくトレンドは複雑さを増幅させる集団学習だ。この二つのトレンドをふまえると、ある程度の確からしさで、短期および長期の未来を予測することができる。これは歴史研究の世界ではいさ

宇宙の誕生から現在まで

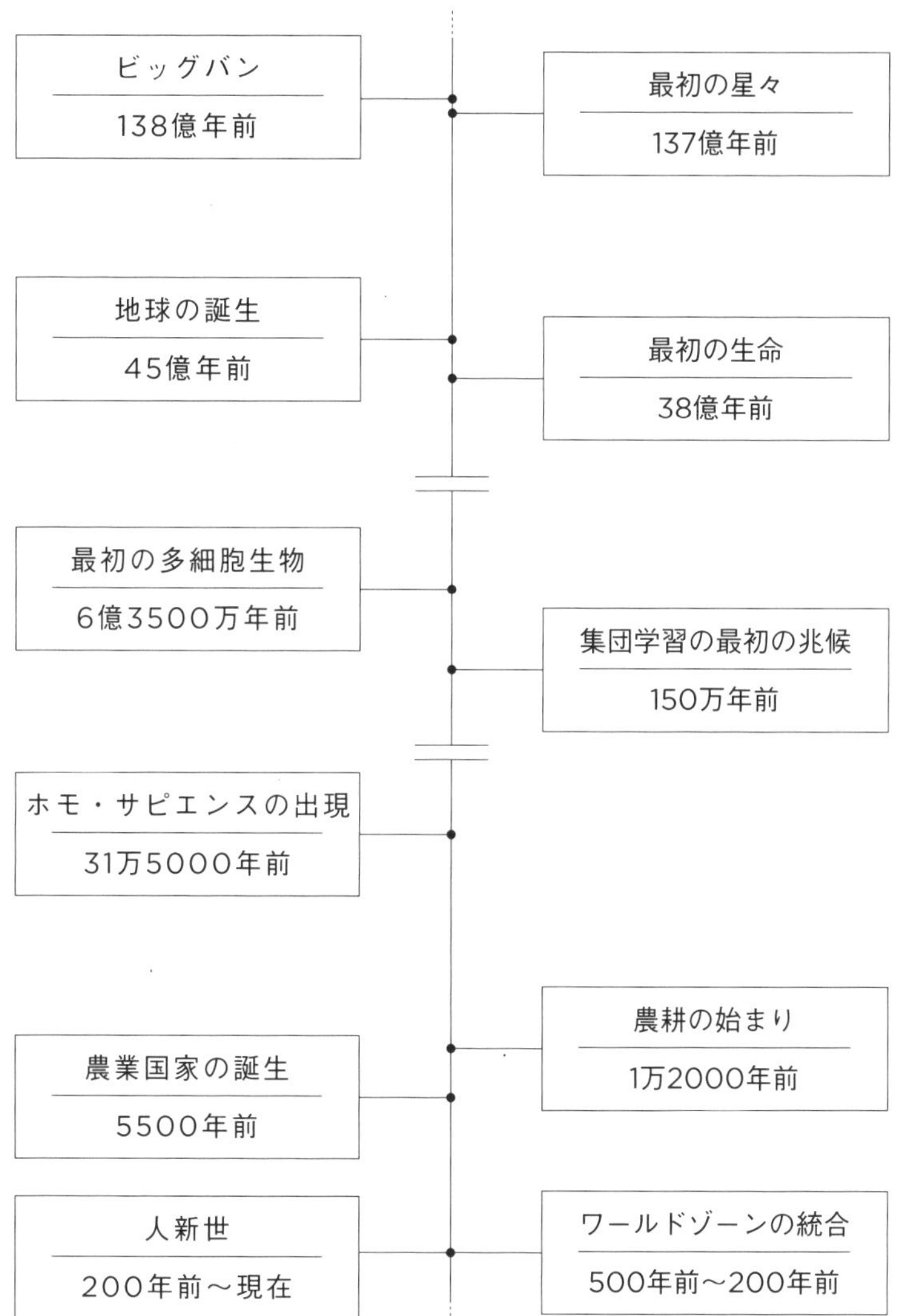

さか珍しいことかもしれない。

しかし、複雑さと集団学習のトレンドが生む価値と、それが歴史におよぼす本当の意味が明らかになるのは未来のことだ。

二つのトレンドは、私たちをどこに連れていこうとしているのだろう？

未来を予測する方法
――未来予測シナリオ

未来を予測する際は、一つのシナリオだけでなく、複数のシナリオを考えなくてはならない。そのうえで、それぞれの予測の確からしさを評価するのである。

それら複数の予測は、何の予想であれ、実現可能性のレベルにしたがって分類することができる。

1　現状延長の未来

現在の科学が、「このまま進むとこうなる」と教えているのが「現状延長の未来」だ。現在のトレンドが指し示す通りの未来。基本的な変数や人間の行動に変化がなく、驚くよ

現在からあらゆる物質の熱的死まで

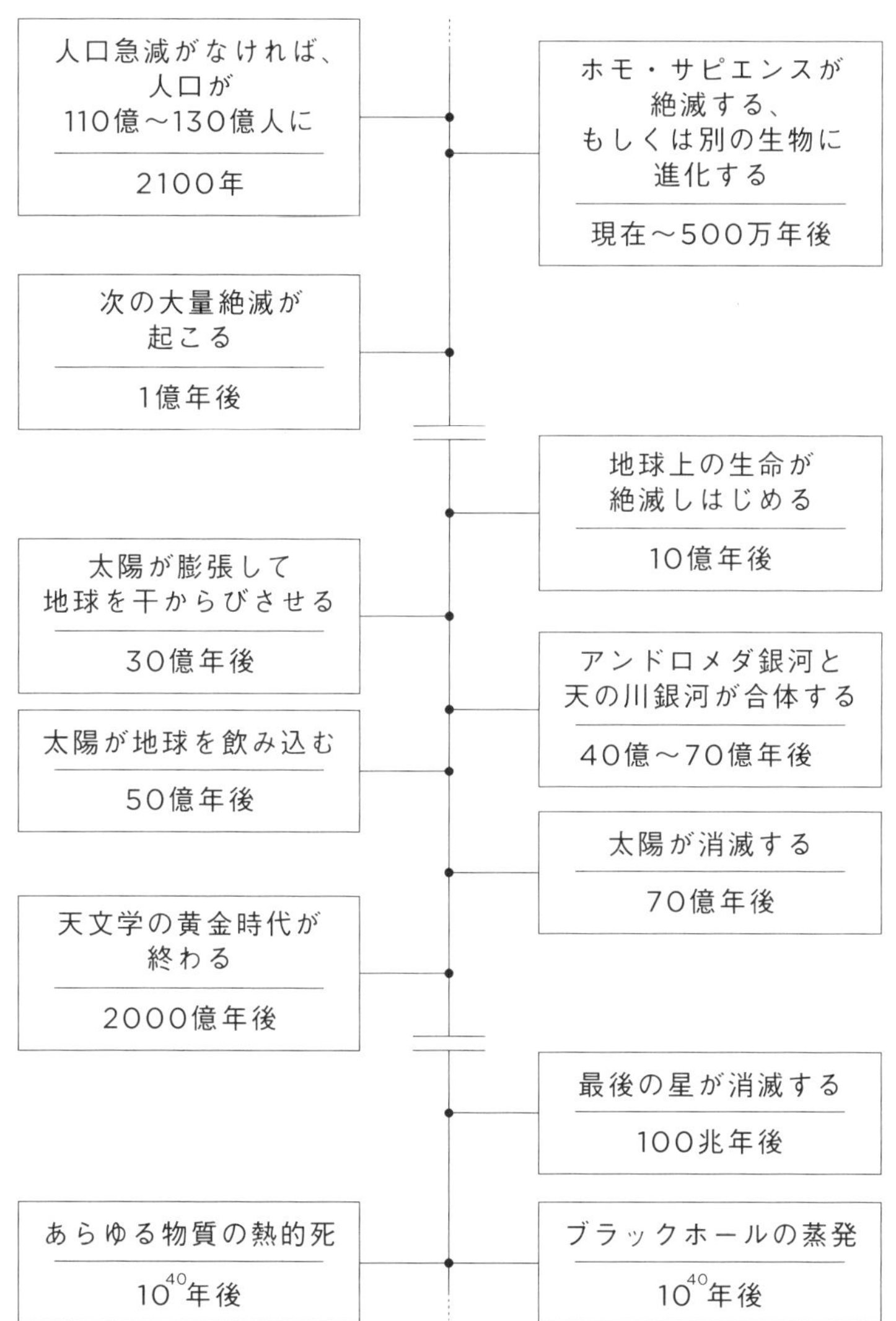

うな新発見も発明もないと仮定した場合の未来である。

何らかの発見や変数の変化は必ずあるので、ほかのシナリオより実現の可能性が高いわけではないが、未来予測の重要なベースラインとなる。たとえば、温室効果ガスの排出と世界の産業成長が現在のペースで続いたらこうなる、というのが現状延長の未来である。

2 起こりうる未来

現在の科学が、「こうなるかもしれない」と指し示しているのが「起こりうる未来」だ。既知の科学の範囲に収まる差異や変化を織り込んだ未来である。何をどの程度織り込んだかが、「現状延長の未来」との違いとなる。

科学的に解明されていて技術的にも可能だが、現状では十分に活用されていない方法——たとえば太陽光発電への移行や化石燃料への依存度の引き下げなど——を加味したのがこのシナリオである。

3 可能な未来

科学が新たに発見し、切り拓くかもしれないのが「可能な未来」だ。現在の科学では未知の何かが発見されたり、既知の現象だが理由がわかっていないものが解明されたりすることによって出現する未来である。

私たちは200年後のテクノロジーを予測できるほど先見の明のあるエンジニアではない。1800年にインターネットやその社会的影響を予測することがどんなに難しかったかを思えば、この先200年に何が起こってもおかしくない。

可能な未来には未知の変数Xがあり、数式で表すと**「現状+X=未来」**となる。既知の数字をもとに方程式を解くのと同じように、未来予測においても、既知の変数を使ってXの実際のインパクトを把握することができる。AI(人工知能)や核融合発電、量子コンピュータなどのイノベーション(現時点では、まだ技術的に未完成)を織り込んだものが「可能な未来」である。

4 非常識な未来

現在の科学が、「それはあり得ない」と教えているのが「非常識な未来」だ。既知の科学法則に明らかに反していたり、活用できるあらゆるデータや知識とも矛盾しているような未来である。

このシナリオと対比することで「可能な未来」のイメージが明確になるという意味で、未来予測において重要な役割を果たす。テクノロジーに過度な期待を寄せるのを防ぐ効果もある。

その一方で、現時点では奇抜すぎて、考慮されることのないテクノロジーを織り込んだ未来を予測できるという効果もある。たとえば1800年には、ロケット工学はおろか、人間が空を飛ぶことさえ想像できなかった。そんな時代に生きていた人びとにとっては、月面着陸が実現するなどというのは「非常識な未来」だったはずだ。いまから200年後の非常識な未来としては、たとえば熱力学第二法則を超越するテクノロジーを挙げることができるだろう。

十分に長いタイムスケールで見れば、複雑さの高まりによって「非常識な未来」が「可能な未来」に変わることはある。それが「起こりうる未来」に、さらに「現状延長の未来」にさえ変わるかもしれない。いずれにせよ、可能性の限界を知るには、不可能と思えることを探究するしかない。

近未来は「4タイプ」のいずれかになる

数百年とか数千年のタイムスケールで近未来(ニアフューチャー)を予測するより、数十億年とか数兆年のスケールで超未来を予測するほうが、じつは簡単である。

そんなことが言えるのは、ひとえに複雑さという概念のゆえだ。何十億年もかけて広い宇宙で起こる宇宙論的変化は、比較的単純なシステムと計算で論じることができる。正しいデータさえあれば、何十億年先のことでも、太陽の寿命やアンドロメダが天の川銀河と合体する時期を割り出すことができる。

だが、人類というシステムは天体の運行などよりもっと複雑だ。一人の人間だけでも何十億もの予測できない行動をとる。それが何十億人も集まった人類というシステムの行動は、スーパーコンピュータでも計算することができない。

人類がどんな発明を思いつき、それが人間の社会行動をどう変えるかを予測するのは難しい。さらに、人類と自然（これも非常に複雑なシステムだ）の相互作用で生じる疾病や自然災害を予測することも難しい。

ここではまず、今後100年から300年先の近未来社会の予測を論じよう。それは以下の四つのタイプに大別できる。それぞれ人間の社会の複雑さがたどるトレンド――上昇、安定、ゆるやかな減少、崩壊――に対応している。

水素核融合炉のイメージ

1　テクノロジーによるブレークスルー

今後100年から300年の近未来に、人間の生産活動が限界に突き当たることがなく、技術革新によって人口増加を吸収できれば、未来は「テクノロジーによるブレークスルー」へと向かう。

イメージとしてはおそらく、経済性のある核融合発電が普及し、最貧国も経済発展を実現できるほどエネルギーが安価になり、世界のエネルギー供給と経済生産が指数関数的に増加し、しかも化石燃料の使用による生物圏の劣化がないような社会だ。

そのような社会では、人間は複雑さをコントロールする働きをAIに託しているかもしれない。具体的にどんなテクノロジーが登場しているにせよ、集団学習が複雑さを次の次元へと飛躍的に増大させているのがこの社会である。

2 グリーン均衡

今後100年から300年先までに大きな技術的ブレークスルーはないが（農耕開始から産業革命まで1万2000年も要したことを思えば、ブレークスルーが起こらないという可能性は否定できない）、人間の活動が生物圏の全面的な劣化を回避できる程度に収まれば、未来は「グリーン均衡」に向かう。

小規模なイノベーション、すぐれた計画や政策、持続可能な生産形態への移行が前提となる。人間社会の複雑さはさほど増大しないが、減少もしない。

3 創造的撤退

環境破壊や人口増大がもたらす災厄を回避するために、生産と消費を削減する政策をとるのが「創造的撤退」だ。人間社会の複雑さを意図的に解きほぐそうとするものである。

このような未来をもたらすシナリオの例としては、抜本的な人口管理と抑制、重工業依存からの脱却、自動車や飛行機での移動の制限、エネルギーの消費と生産の制限（再生可能エネルギーへの移行ではなく消費そのものの制限）、食料や衣料などの配給制などがある。

このような政策を長く続ければ、複雑さのレベルにおいては300年前の農業国家に近い社会に変わっていくことになる。

4 崩壊

環境災害、核戦争、スーパー耐性菌、小惑星の衝突、超巨大火山の噴火など、考えられる壊滅的事象のいずれかが起こった場合に現れる未来。原因を問わず、人間社会の複雑さが劇的に低下するあらゆるシナリオがこのタイプに当てはまる。

「21世紀に起こること」が運命を決める

いちばん到来しそうな未来はどれか、読者それぞれが自分で考えてほしい。なぜそう思うのかもしっかり考えてほしい。

20年ほど前から、**気候変動**に関する議論の高まりによって、先進国では未来に対する悲観論が強まっている。**世界的パンデミック**による影響——とりわけ失業やメンタルヘルスの問題など——も悲観論をあと押ししているかもしれない。

しかし、十分に長い時間のスケールで見れば、集団学習によって次のテクノロジーのブレークスルーが起きるはずだ。そのときまで、人類はいまの社会の複雑さを消滅させることなく持続させなくてはならない。つまり、私たちに課せられた重大な使命は、滅びることなく21世紀を生き抜くことだ。今後何千年か、複雑さを増大させつづけることができれば、そこから驚異的な新発見がもたらされるだろう。

21世紀に何が起こるかによって、この地球における複雑さの増大がこれからも続くか、ここで終わるかが決まる。その意味で、いま生きている世代と、今後数年のうちに生まれてくる世代は、きわめて重要な歴史的瞬間に立ち会っていると言える。

人類が誕生してから31万5000年が経過した。この間に生まれ、そして死んでいった王侯貴族、小作人、農民、あるいは狩猟採集民などのだれよりも、いま私たちは人間が未来に大きな影響を与える時代に生きている。

私たちが与えられた人生で何を行うかは、物理的にも時間的にも大きな意味があり、未来の社会のあり方を左右する。かつて個人がこれほどの影響力を持った時代はなかった。

「10の40乗年後」までに起こること

超未来の分析には、大きく分けて二つの方向がある。

一つは地球と宇宙にとっての〝自然な未来〟の分析、すなわち、生物や社会といった高次の複雑さが宇宙論的プロセスに影響を与える可能性を捨象して行う分析である。先の四つの未来予測シナリオで言えば、「現状延長の未来」と「起こりうる未来」が該当する。

もう一つは数百万、数億、あるいは数兆年ものタイムスケールで複雑さが増大しつづけ、現在の水準を超えるテクノロジーが実現して、人間が宇宙に影響をおよぼし、操作さえできるようになる可能性を織り込んだ分析である。未来予測シナリオで言えば、「可能な未来」と「非常識な未来」がこれに該当する。

現在のところ、前者の〝自然な未来〟において、超未来は以下のような展開をたどると考えられている。

10億年後——生物圏の死滅

生物を大量絶滅させる異変は、平均すると1億年に1回起こっている。これまでのところ、多数の種を死滅させた出来事はあっても、世界を終わらせるほどの惨事はなかったが、〝自然な未来〟の文脈では、超未来においてそのような惨事が起こることは確実である。

なぜなら、約10億年後、太陽の燃料が尽きはじめるからだ。すると明るさが増し、二酸化炭素のレベルが低下する。植物は光合成を行うことが難しくなり、複雑な生命を維持できなくなる。こうして10億年後以降、あらゆる生命が苦しみ、衰退していく。

だが、10億年といえばカンブリア爆発から現在までの時間（5億4100万年）のほぼ2倍だ。これは、多細胞生物が進化と変化を続ける期間としては十分な長さで、顎のない魚が人間にまで進化するのに要した時間の2倍近い。

たとえ人類が絶滅するとしても、これだけの時間があれば、集団学習の能力を持つ別の種が進化し、現在の人類に匹敵あるいは凌駕する複雑性を有する可能性は大いにある。

30〜70億年後——地球と太陽の死

30億年後には、太陽はますます膨張し、地球の表面を沸騰させ、乾燥させる。地表の温度が100℃を超えたら、地球上の生命はほぼ死に絶える。もしかしたら、地表のどこかの割れ目に単細胞生物が生き残っているかもしれないが、明らかに複雑さは減少し、生物圏の物語は終わりを告げる。

その後、太陽は地球を飲み込むほど大きくなり、残されていたものすべてを燃やし、吸収してしまうだろう。地球という星そのものが破壊されるのだ。太陽は火星を破壊するまで肥大化するかもしれない。しかし、それ以上は大きくならず、小惑星帯とガス巨星はほぼそのまま残る。その後、太陽は縮小し、やがて**消滅**する。

もし、これほどの年月を経ても人類の子孫がまだ生きているとすれば、彼らはテクノロジーを信じられないほど進歩させ、神のような存在になっていることだろう。地球を離れて、木星や土星の衛星を**テラフォーム**〔天体の環境を地球のように改変すること〕しているかもしれない。

あるいは、太陽に水素を補充するマクロ・エンジニアリングを完成させて、太陽を燃やしつづけているかもしれない。太陽系を離れて別の惑星に拠点を移しているかもしれない。銀河系を離れているかもしれないし、そもそも星の上に住まなくても生きていける存在に進化しているかもしれない。

2000億年後――天文学の黄金時代の終わり

ダークエネルギー〔宇宙に存在し、宇宙の膨張を加速していると考えられている仮説上のエネルギー〕が光速を超える速さで宇宙を膨張させつづけるため、ほかの銀河からの光は地球に届かなくなる。

地球からは天の川銀河しか見えなくなるので、ビッグバン宇宙論の知識がなければ、宇宙に存在するのはこの銀河だけだと考えてしまうかもしれない。あるいは、宇宙には始まりがなく、静的で永遠な存在であるという考えに逆戻りしてしまうかもしれない。要するに私たちにとって天の川銀河が全宇宙になってしまう。

　現在、私たちはビッグバンの証拠を見ることができ、ほかの銀河を見ることができる。多くの科学者がいまの時代を**「天文学の黄金時代」**と呼ぶのはそのためだ。宇宙が今後何兆年も存在しつづけることを思えば、誕生後138億年というのは幼少期と言える。この時期に生まれた私たちは幸運だ。

100兆年後——星の終わり

　誕生後、何兆年も経った宇宙では、すべての銀河で新しい恒星の形成が止まり、まだ燃えて輝いているのはもっとも小さく、もっともゆっくり燃えている恒星だけになる。100兆年後には、そんな恒星の最後の一つも死滅してしまう。

　この時点で、惑星上で生命を維持するのに必要なエネルギーフローはなくなり、宇宙を航行できる高度に進歩した社会でも、その複雑さを維持または増大させるのに十分なエネルギーの流れを確保することは難しくなる。それを打開する方策としては、ブラックホールが放出するエネルギーの利用があるが、恒星からのように大量に出るわけではない。

　この予測に救いがあるとすれば、何兆年もの集団学習（あるいはそれに取って代わるもっと急速なプロセス）によって、複雑さが驚異的なレベルに達している可能性があることだ。

10の40乗年後――あらゆる物質の熱的死

10の40乗というのは、「1」の後ろに「0」が40個つく数字だ。1兆の1兆倍の1兆倍の1万倍。聞き慣れない単位を使って言えば10ドゥオデシリオンである。

このとき、恒星が消滅するだけでなく、惑星や小惑星が織りなす構造も崩れ去る。宇宙のあらゆる分子の組み合わせはとうに崩壊しており、単体の原子だけが残っているが、その原子も徐々に崩壊して、より単純な原子に変わっていく。やがて水素原子だけになれば、それも崩壊してエネルギーに戻り、宇宙は熱力学第二法則に従って、弱い放射線だけが均一に分布する空間になる。

このとき、それまで歴史に複雑さをもたらしてきたエネルギーの流れは止まり、宇宙の複雑さは完全に消滅する。「熱力学第二法則はあらゆる世界を創造し、そして破壊する」というのはこの意味においてである。

このとき残されるのは、変化せず、何も起こらず、歴史もない、**永遠の空白**だ。世界の終わりであるだけでなく、私たちのストーリーの終わり、すべての歴史の終わりだ。いまから10の40乗年後、ブラックホールもすべての放射線を放出し尽くし、薄く分散したエネルギーに姿を変えて蒸発する。

これは現在のデータどおりに宇宙が膨張を続けた場合の宇宙の終わり方で、「**ビッグフリーズ**」（Big Freeze）と呼ばれているシナリオだ。宇宙が現状のままゆるやかに膨張しつづけ、静かに終わりを迎えるという未来である。

これとは違う、別のシナリオはないのだろうか？

膨張が加速する？ むしろ収縮する？
——ビッグリップ、ビッグクランチ、ビッグバウンス

宇宙の膨張速度について、現在認められているものと違う値が観測され、ビッグフリーズのシナリオの前提が変わった場合、宇宙の終わり方についても、ビッグフリーズとは異なる三つのシナリオが考えられることになる。

まず、宇宙が現在の観測値より速く膨張していると判明した場合は、「**ビッグリップ**」（Big Rip）というシナリオが考えられる。宇宙の膨張が加速して銀河間の距離が広がり、重力に打ち勝って銀河を引き裂き（リップ）、原子を結びつけている核の力にも打ち勝って、星や惑星や生物を引き裂くというシナリオだ。こんな未来が200億年という短期間で到来するかもしれない。「短期間」と言っても、途方もなく長い時間だが。

もう一つの起こりうる宇宙の終わり方は「**ビッグクランチ**」（Big Crunch）である。ビッグリップの場合とは反対に、宇宙の膨張の加速度が低下し、やがて収縮に転じ、最終的に、宇宙に存在するすべての銀河が一つの塊へと押し込められ、すべてのストーリーが始まったあの白く熱い特異点に回帰して終わるというシナリオだ。

そこでもう一度ビッグバンが起これば、宇宙はふたたび膨張し、何度も生まれ変わる「**ビッグバウンス**」（Big Bounce）というシナリオが展開することになる。詩的で魅力的なシナリオだ。いまのところそれを裏づけるデータはないが、宇宙の膨張が減速して収縮に反転するとすれば、それが起こるのは500億年から数千億年先だと思われる。

ビッグフリーズのシナリオは、沈黙の死という暗いイメージがぬぐえないが、10の40乗年も複雑さが増大しつづける時間が残されているのだから、熱力学第二法則が定める宇宙の死を克服する解決策を見出せる望みがないわけではない。その意味では、いまのところビッグフリーズがもっとも起こりそうな未来であることを喜ぶべきだ。

複雑な「超文明」にいつ到達するのか？

すべての星が燃え尽きるまで100兆年、物質の熱的死まで1兆年の1兆倍の1兆倍の

1万倍という時間を考えると、138億年の宇宙など、まだまだ〝若い〟ということになる。

地球上に生物の複雑さが存在した時間（**38億年**）はさらにわずかであり、人類が文字を発明して国や社会を形成した時間（**5500年**）はさらにごくわずかだ。そして、集団学習と科学が圧倒的な加速度で進歩したのは、過去わずか200年のことにすぎない。

200年など、このさき宇宙が存在しつづける時間に比べれば、無視できるほど短い。小数点以下のゼロの個数を考えると、パーセンテージで表す価値すらない。

複雑さが現在のようなペースで加速度的に増大していけば、数十億年とか数兆年などではなく、数万年とか数千年のうちに、高度な社会が宇宙の〝自然な未来〟に影響を与えはじめる可能性がある。複雑さが増しつづければ、その可能性は「起こりうる未来」、さらに「現状延長の未来」にさえなっていくだろう。

しかし、そのような高度な複雑さがどんなものになるかを予測することはほぼ不可能である。10年後の技術を推測することさえ難しい人間に、何千年や何万年というタイムスケールで、未来のテクノロジーの姿を推測することはできない。

だが、そのような**超文明**にいつ到達するか、それがどれほど複雑で強力なものかを知る

方法なら ある。

ここまでに何度か、複雑さを表す指標として、複雑さを生み出し、維持し、増大させるエネルギーフローについて述べた。太陽は2エルグ／g／s、光合成を行う平均的な生物は900エルグ／g／s、イヌは2万エルグ／g／s、狩猟採集社会は4万エルグ／g／s、農業国家は10万エルグ／g／s、19世紀の産業社会は50万エルグ／g／s、そして現代社会は200万エルグ／g／sである。

このような定量的な指標を用いることで、超未来における超文明の複雑さを予測し、そこに到達するまでの時間を推定することができるのである。

エネルギーフローの増大とともに、システムの構造は複雑になっていく。すなわち、水素原子からDNAを持つ単細胞へ、次は何兆個もの細胞からなる多細胞生物へ、そして人間や家畜やあらゆる機械がつながった社会ネットワークへと複雑化していく。

さらに、流入するエネルギー密度が高まるにつれて、人間は生きのびるために、物理法則を操作し、環境を変えようとしはじめる。

現在の私たちには、そのような超文明でどのような科学や奇跡的発明が生まれるのか知る由もないが、ここまで観察してきたトレンドから、高度な複雑さがもたらす進歩は銀河の構造や宇宙論的進化そのものにも影響をおよぼす可能性があることがうかがえる。

超文明の5段階

1964年、ロシアの天文学者ニコライ・カルダシェフは、エネルギーの使用量に基づいて文明を区分する「**カルダシェフ・スケール**」と呼ばれる尺度を提案した。文明が使用するエネルギー量が、惑星、恒星、銀河の全エネルギーのいずれに等しいかによって、その文明の発展段階を位置づけるというものだ。惑星、恒星、銀河を実際のエネルギー源としていなくても、当該文明が何らかの方法でそれに相当するエネルギーを生成していれば、その段階に位置づけられる。

タイプI文明——惑星文明

タイプI文明は、その文明が存在する惑星で得られる全エネルギーに等しいエネルギー量を利用できる文明である。人新世の現在、人類が使っているエネルギーは地球0・7個分を超え、地球1個分に近づきつつある。

この文明の平均的なエネルギーフローは、間もなく260万エルグ／g／sになるだろう。

この程度のエネルギーフローの増加なら、それを果たした社会の姿は想像できる。人口は現在と比べてかけ離れて多いわけではなく、複雑さを維持できる豊富なエネルギー源があるような社会。核融合技術を持ち、100億の人口が現在の先進国並みかそれ以上の生活水準で暮らしているような社会である。

狩猟採集時代から今日に至る人間社会の複雑さの加速度的な増加が続けば、人類は300年以内にタイプⅠの文明に到達するという計算が成り立つ。

この数字からは、人類の未来は明るいと言えるが、複雑さが後退しないことが前提だ。したがって、現在の世代の行動が重要になる。

タイプⅡ文明——恒星文明

タイプⅡ文明は、恒星の規模で得られる全エネルギーに等しいエネルギー量を利用できる文明である。未来予測シナリオに当てはめれば、「現状延長の未来」や「起こりうる未来」を超えて、「可能な未来」の段階に達している文明だ。どんな技術があればこの段階に到達できるか、現在の科学では、まだ正確なことがわかっていない。

人間（この文明段階の人間が、どんな進化を遂げているかはわからない）が恒星に相当するエネルギーを利用すると聞けば、**ダイソン球**を思い浮かべる人がいるかもしれない。

ダイソン球のイメージ

ダイソン球というのは星全体をぐるりと覆う仮説上の巨大人工構造物である。その星が宇宙に放出するエネルギーの一部を地球上の植物やソーラーパネルが吸収するというのではなく、その星が発するエネルギーをすべて吸収するというものだ。

このような超文明が使えるエネルギーフローはおよそ702億エルグ／g／sで、現代の文明と比べて複雑さが飛躍的に増大している。

構造的にきわめて複雑で、文明を取り巻く環境や宇宙物理の基礎も操作することができる。現在の文明とこの文明を比べれば、単細胞生物と第二次世界大戦のスピットファイア戦闘機のエンジンくらい複雑さが違う。

この文明では、人類は「**トランスヒューマン**」あるいは「**ポストヒューマン**」になっている可能性がある。生物学的な老化現象を逆転させているかもしれないし、意識をコンピュータにアップロードすることで、集合意識またはサイボーグとして永遠の生命さえ獲得しているかもしれない。高度なコンピューティング能力によって、集団学習やコミュニケーション、新しい発明が目もくらむばかりの速さで進行していることだろう。

現在の複雑さの加速度的な上昇に照らせば、これほどの段階にさえ、せいぜい2万5000年で到達する。

2万5000年前、人類はアフリカ、ヨーロッパ、アジア、オーストラレーシアで狩猟採集生活を行っていた。農耕が始まったのがおよそ1万2000年前だから、2万5000年という時間は、農耕文明の出現から現在までのわずか2倍だ。1兆年の1兆倍の1兆倍の1万倍という宇宙の全寿命に比べれば、瞬きほどの長さもない。星が今後も燃えつづける100兆年という時間に当てはめても、0・000000025%にすぎない。

これらの数字からわかるのは、宇宙生物学者やSETI（地球外知的生命体探査）マニアも考えていることだ。すなわち、宇宙が複雑さを増大させはじめるまでには何十億年もかかったが、始まってしまえば、複雑さが次のブレークスルーを迎えるまでの時間はどんどん短くなるということである。

つまり、このレベルの複雑さを有する文明が宇宙のどこかで生まれるための時間は十分すぎるほどある。いまの人間という種で実現するとはかぎらないとしても。

タイプⅢ文明――銀河文明

タイプⅢ文明は、銀河の規模で得られる全エネルギーに等しいエネルギー量を利用する文明である。この仮想の超文明は、宇宙の基本的な物理法則を操作するために一つの星のエネルギーでは力が足りなければ、天の川銀河に存在する2000億~4000億個の恒星のエネルギーに相当する力を利用することができる。これほど強力な超文明のエネルギーフローは140000000000000000エルグ／g／s（14セプティリオン）に達する。

現在の地球文明とこの超文明の差は、亜原子粒子1個と現代社会全体の差より大きい。この超文明に比べれば、いまの社会の複雑さもそれが利用しているエネルギーも、クォーク1個ほどでしかない。

これはまさに**神のような力を**持つ社会だ。全宇宙の基本法則は操作できなくても、銀河系だけなら全体を操作することができるだろう。

複雑さの加速度的増大が今後も続くという前提で計算すれば、これほど巨大な差も、10万年も経たないうちに埋まるかもしれない。それはホモ・サピエンスがアフリカから出たときから現在までの時間と同じだ。

所要時間については、銀河のスケールのエネルギーを利用するために天の川銀河にある他の太陽系を探査するには500万〜5000万年かかるという推定もある（光速より速く移動することは不可能という仮定に基づく）。

だとしても、500万年といえば、ヒトがチンパンジーや霊長類との共通の祖先から分岐した時点から現在までの時間とほぼ同じだ。5000万年はそれより長いが、地球に生命が誕生してから現在までの38億年と比べればわずかな時間であり、星や銀河が存在しつづける時間と比べればもっとわずかな時間でしかない。

本当に銀河の星を利用してこれほど高レベルのエネルギーを調達するには、複数の星を何らかのエネルギー網（グリッド）に組み込まなければならない。まさに銀河スケールのマクロ・エンジニアリングだ。

宇宙のどこかに、そんなことができる文明に到達した高度な生命体が存在するなら、私たちは宇宙マイクロ波背景放射などを探していないで、4000億個ある銀河の中に、自然の作用では説明できない銀河スケールの構造物を探すべきかもしれない。

カルダシェフはタイプⅢまでの文明を論じたが、その延長線上にタイプⅣ、タイプⅤの文明を考えることもできる。

タイプⅣ文明――宇宙文明

これは間違いなく「非常識な未来」の領域だ。天の川銀河なら端まで行くことも物理的に可能かもしれないが、観測可能な宇宙のすべての銀河をめぐるためには、物理法則を超越する技術が必要だ。そんなことができる文明のエネルギーフローは約6000000000000000000000000000000000エルグ／g／s（6アンデシリオン）である。

ここまでくると、複雑さを比較する対象がない。そのような比較ができるのはタイプⅢ文明までだ。宇宙のどこにも、現在の社会とこの文明の差が当てはまるほど、単純なものと複雑なものの組み合わせを見つけることはできない。

しかし、数値がある以上、このレベルに到達するまでに要する時間を計算することはできる。その計算結果は驚くべきものだ。すでにタイプⅡとタイプⅢの文明で多くの物理的・技術的障壁を克服できていると仮定すれば、そこから20万年以下でタイプⅣに到達できる計算になるのである。

ここまでの所要年数を合計すれば、現在の〝タイプ0・7文明〟からタイプⅣ文明まで、

超未来

およそ32万5000年で到達できることになる。ホモ・サピエンスが出現してから今日まで（31万5000年）より少し長いだけであり、このさき宇宙に複雑さが存在しうる時間と比べればきわめて小さな時間の断片にすぎない。計算間違いや複雑さの増大の減速があったとしても、宇宙のすべての星が燃え尽きるまでの時間の長さを考えれば、30万年どころか、数億年でさえ誤差の範囲にすぎない。

超文明が宇宙の物理法則を克服して環境を操作する能力を獲得するのに、ここまで大きなパワーを必要とする可能性はきわめて低い。そのような能力は、すでにタイプⅡかタイプⅢの文明で実現しているはずだからだ。

タイプⅤ文明——マルチバース文明

ここまで来たら、究極のレベルまで考えてみよう。いわゆる**マルチバース**（38ページ参照）なるものが存在したとして、永遠に膨張しつづける空間を往来でき、マルチバースの全エネルギー（エネルギーなるものがそこに存在していれば）を何らかのネットワークで統合することができる文明が出現したなら（そのためには空間と時間の性質を根本から改変しなくてはならないが）、それがタイプⅤの文明ということになる。

しかし残念ながら、この場合のエネルギーフローの値を計算することはできない。値が大きすぎるからではなく、無数の宇宙が存在するマルチバースでは、そこを流れるエネルギーも無限大になるからだ。無限に存在する宇宙を行き来するには無限の時間がかかるので、そこに到達するのに要する時間を計算することもできない。

その意味で、もし文明の複雑さがこのレベルに到達するなら、それは複雑さの特異点（シンギュラリティ）に到達したことにほかならない。複雑さは「**イベント・ホライズン**」〈事象の地平線。無限の未来まで行っても見えない時空の境界〉を超えて、ありとあらゆる発明が可能になる。

宇宙の根本的な性質を操作するのに、ここまでのレベルは必要ない――というのは、すでにタイプⅣの文明について言える事実だ。タイプⅤの文明については言うまでもない。

「ビッグセーブ」というシナリオ

――いつまでも停止しない未来

先に、宇宙の〝自然な〟終わり方、つまり複雑さを増す文明の力が宇宙の進化に影響をおよぼさない場合に起こる四つの未来を論じた。ビッグフリーズ、ビッグリップ、ビッグクランチ、そしてビッグクランチのあとでふたたびビッグバンが起こった場合のビッグバウンスである。

超未来

おそらくこれらのシナリオにおいては、高度文明も自分の星にあるエネルギーや資源より多くのものを獲得することはできず、最終的には絶滅してしまうと思われる。「宇宙の終わり」と言ったときに、だれもが想像するような未来だ。

しかし、別の未来もある。

複雑さが加速しつづけ、ある時点で停止などしない未来があってもおかしくはない。それは、環境を操作する能力を高めたタイプⅡ、タイプⅢ、あるいはタイプⅣの超文明が、熱力学の第二法則さえ克服して、〝自然な終わり〟の日を超えて複雑さを増加させつづけるような未来だ。それを「**ビッグセーブ**」（Big Save）と呼ぶ。

文明がタイプⅡ、タイプⅢ、あるいはタイプⅣの次元に到達するのに要する時間は、１３８億年という宇宙の年齢に比べても、あるいはビッグリップやビッグクランチ、ビッグバウンス、とりわけビッグフリーズのシナリオでこのさき宇宙が存続する時間に比べても、決して長すぎることはない。

ビッグセーブというシナリオを未来予測のリストに加えることは理に適（かな）っている。

過去６億３５００万年のあいだに地球上に存在した、推定１００億種の多細胞生物のうち、少なくとも一つの種が、社会を構築できるほどの集団学習を実現したという事実を考えてみよう。その集団学習のほとんどは過去1万2000年間に行われたものだ。

多くの宇宙生物学者は、天の川銀河には**居住可能な惑星**が最大3億個存在するという説に同意している。そのすべてで多細胞生物が生まれると仮定しても(それはないだろうが)、天の川銀河のどこかで集団学習ができる生物が出現する可能性は低い。

しかし、観測可能な宇宙にはおよそ4000億の銀河が存在するので、一つの銀河につき3億個の居住可能な惑星があると仮定すれば、超文明を築ける種が存在する確率はかなり高くなる。

さらに、人類が誕生するまでに138億年しかかからなかったのに対し、そのような種が誕生するための時間は、このさき何兆年もあることを考えると、その確率は圧倒的に高くなる。近未来のどこかで人類が絶滅したとしても(最近のニュースからはその可能性を感じる)、宇宙のどこかでタイプII、タイプIII、タイプIVの文明が現れる可能性は十分にある。

したがって、宇宙の終わりを予測する**ホライズン・スキャニング**(将来のリスクや可能性について情報を収集・分析する活動)においては、予測しやすい〝自然な未来〟だけでなく、ビッグセーブについても考慮しなければならない。

「非常識な未来」を探求する
――ビッグセーブを実現する三つの選択肢

ビッグセーブのシナリオでは、人類はタイプⅡ、Ⅲ、Ⅳのいずれかの超文明を構築し（そのために必要な技術が何であれ実現させて）、「現状延長の未来」が想定する宇宙の〝自然な終わり〟を克服して、次の三つのうちいずれかの方法で複雑さを維持しつづけることになる。

1 脱出

マルチバースが存在するなら、人類はもっと新しい宇宙、あるいはエネルギーの流れが止まったら死滅するという熱力学第二法則に縛られない別の宇宙に向けて、「脱出」することができる。

2 操作

マルチバースが存在せず、宇宙というベージュのテーブル上で別の〝コーヒーリング〟

〔37ページ参照〕に移動することもできなかった場合、超文明は、熱力学の第二法則を克服するために、宇宙の基本的性質を「操作」（あるいは改変）しようとするかもしれない。「脱出」や次に述べる「創造」より、この方向に進む可能性がもっとも高いと思われる。たとえば、**永久運動**（局所的であれ宇宙的であれ）を可能にするテクノロジーの開発をめざすことなどがこれに該当する。

3　創造

もし何らかの方法で空間と時間を操作することができれば、私たちはビッグバンを再現することができる。それが「創造」のシナリオで、ビッグクランチにもっとも適している（もちろんビッグフリーズやビッグリップでも出番はある）。

この「創造」によるビッグバンが138億年前のビッグバンと違う点は、複雑さにとって都合のよい物理法則と、物質およびエネルギーの分布があらかじめ織り込まれていることである。

以上、ビッグセーブの三つのシナリオは、どれも「非常識な未来」の範疇に入る。なぜなら、現状では不可能な何かを発明する必要があるだけでなく（それだけでよいなら「可能な未来」の範疇）、現在の科学では物理的に不可能とされていることを実現しなくてはならないからだ。

しかし、非常識で不可能なことを探求することによって、何が本当に可能なことなのかがはじめて見えてくる。

宇宙論的なタイムスケールで見れば、超文明のレベルに到達するのにかかる時間は必ずしも長くないうえに、宇宙の複雑さが消滅するまでには、まだたっぷり時間がある。ほんの数世紀前には非常識で不可能と思われたこと――瞬時のコミュニケーション、音速を超える移動、月への着陸など――が、いまでは実現していることを思い起こそう。

私たち人類に求められているのは、あと2万年から30万年生きつづけ、何が起こるかを見届けることだ。それは決して不可能なことではない。

この物語は、まだ始まったばかりかもしれない

世界はいま、きわめて困難で悲観的な時代を迎えている。どの社会にも緊張があり、未曾有の政治的分断が生じている。この不穏な動向に不安を覚える人は、下降に向かう永年サイクルが始まっていると考えるかもしれない。

そんな時代なので、この本で、人新世の現実だけでなく、宇宙の未来について楽観的で希望のある予測を語れたことをうれしく思う。

宇宙の歴史を通して私たちを進化させてきたパターンが、人類は近未来まで生きられるだけでなく、超未来まで生き残る可能性があることを示唆している。生き残るだけでなく、さらなる繁栄を迎える可能性さえある。それは人間の社会、知識、努力の賜物（たまもの）であり、偉大な価値だ。もしかしたら、宇宙の大きな謎が解明されるかもしれない。

きょうの私たちの行動が、驚くべき結果につながる変化を起動させる鍵を握っている。結果が出るのは、宇宙のタイムスケールに照らせば、ほんの少し先のことでしかない。

長寿技術や**トランスヒューマニズム**〔超人化をめざす思想〕の可能性がほんの少し広がれば、私たち自身や私たちの子どもが、この大冒険に直接参加できる可能性さえある。それは過去の世代の努力が私たちにつないでくれた貴重な成果であり、私たちが次の世代につなぐべき大切な贈り物だ。

この本で私たちは138億年の歴史を一気に駆け抜けた。しかし、この物語はまだ始まったばかりなのかもしれない。

勇気を出そう。そして善く生きよう。

謝辞

ビッグヒストリーの世界的第一人者であるディヴィッド・クリスチャンは、多くの指導と機会を与えてくれただけでなく、順境のときも逆境のときも、とりわけパンデミックがもたらした困難な状況の中で、私を支えてくれた。

私の両親、スーザン・ベイカーとグレッグ・ベイカーは、無尽蔵の忍耐をもって不肖の息子を受け入れ、惜しみない支援を与えてくれた。いささか風変わりな分野を選択したことにも理解を示してくれた。

ジェイソン・ガレートは、本書執筆中の数か月間、精神的に私を支え、原稿に目を通して貴重な助言を与えてくれた。私の人生はまさに彼によって救われた。

カレン・ステイプリーとマット・ディテルジャンは、本書の草稿に目を通し、大きな改善につながるフィードバックによって執筆を助けてくれた。

そして、マイロに感謝する。理由は彼が知っている。

訳者あとがき

ビッグバンから説き起こして宇宙、地球、生命、人間、社会、テクノロジーまで、森羅万象をカバーする本書のような歴史の記述を「ビッグヒストリー」という。宇宙物理学、天文学、地質学、考古学、生物学、化学、社会学、経済学など、幅広い研究分野を包含する新しい知の取り組みといえる。

気候変動、動植物種の絶滅、食糧危機、水不足、戦争、政治体制の衝突、ＩＴの急速な進化……いま世界が重大な岐路にさしかかっていることをだれもが感じている。将来の世代に少しでも良い世界を引き継ぐために、私たちはどうすればいいのか。そんな大きな問いに答えるには、大胆にズームアウトして歴史を振り返る必要がある。ビッグヒストリーへの関心が高まっている理由の一端は、そんなところにあるのかもしれない。

本書は、長い時間の中で生起する無数の出来事を「複雑さ」(complexity) というトレンドで整理し、因果の連鎖、構造（生命や社会）の生成と進化、国の繁栄と没落をシンプルに提示することに成功している。

歴史といえば、固有名詞や年代が入り乱れてしまっていることが多い。そんな見通しの悪さを早回しの大局観でクリアにすることができれば、歴史を学ぶ楽しさを再発見できるのではないだろうか。

2000.

Sayre, A. *Rosalind Franklin and DNA*. New York: W.W. Norton, 1975.

Scarre, Chris, ed. *The Human Past: World Prehistory and the Development of Human Societies*. London: Thames & Hudson, 2005.

Sharratt, Michael. *Galileo: Decisive Innovator*. Cambridge: Cambridge University Press, 1994.

Smil, Vaclav. *Energy in World History*. Boulder: Westview Press, 1994.

Smith, Bruce. *The Emergence of Agriculture*. New York: Scientific American Library, 1995.

Strayer, Robert. *Ways of the World: A Global History*. Boston: St. Martin's Press, 2009.

Stringer, Chris. *The Origin of Our Species*. London: Allen Lane, 2011.

Tarbuck, E. and F. Lutgens. *Earth: An Introduction to Physical Geology*. New Jersey: Pearson Prentice Hall, 2005.

Turchin, Peter and Sergei Nefedov. *Secular Cycles*. Princeton: Princeton University Press, 2009.

Westfall, Richard. *The Life of Isaac Newton*. Cambridge: Cambridge University Press, 1993.

Wong, Roy Bin. *China Transformed: Historical Change and the Limits of European Experience*. Ithaca: Cornell University Press, 1997.

Woods, Michael and Mary Woods. *Ancient Technology: Ancient Agriculture from Foraging to Farming*. Minneapolis: Runestone Press, 2000.

Wrangham, Richard. 'The evolution of sexuality in chimpanzees and bonobos'. *Human Nature*, vol. 4 (1993), pp. 47–79.

Wrigley, E. *Energy and the English Industrial Revolution*. Cambridge: Cambridge University Press, 2010.

Zheng, Y. et al., 'Rice fields and modes of rice cultivation between 5000 and 2500 BC in east China'. *Journal of Archaeological Science*, vol. 36 (2009), pp. 2609–16.

Berkeley: University of California Press, 2011.

Maddox, Brenda. 'The double helix and the "wronged heroine"'. *Nature*, vol. 421 (2003), pp. 407–8.

Marcus, Joyce. *Mesoamerican Writing Systems: Propaganda, Myth, and History in Four Ancient Civilizations*. Princeton: Princeton University Press, 1992.

Marks, Robert. *The Origins of the Modern World: A Global and Ecological Narrative from the Fifteenth to the Twenty-first Century*. 2nd edn. Lanham: Rowman & Littlefield, 2007.

McBrearty, Sally and Alison Brooks. 'The revolution that wasn't: a new interpretation of the origin of modern human behavior'. *Journal of Human Evolution*, vol. 39 (2000), pp. 453–563.

Mendeleev, Dmitri. 'Remarks concerning the discovery of gallium'. In *Mendeleev on the Periodic Law: Selected Writings, 1869–1905*. Ed. William Jensen. New York: Dover Publications, 2005.

Nicastro, Nicholas. *Circumference: Eratosthenes and the Ancient Quest to Measure the Globe*. New York: St. Martin's Press, 2008.

Nutman, Allen et al. 'Rapid emergence of life shown by discovery of 3,700-million-year-old microbial structures'. *Nature*, vol. 537 (2016), pp. 535–8.

Otfinoski, Steven. *Marco Polo: To China and Back*. New York: Benchmark Books, 2003.

Overton, Mark. *Agricultural Revolution in England: The Transformation of the Agrarian Economy, 1500–1850*. Cambridge: Cambridge University Press, 1996.

Rampino, Michael and Stanley Ambrose. 'Volcanic winter in the Garden of Eden: the Toba supereruption and the Late Pleistocene human population crash'. In *Volcanic Hazards and Disasters in Human Antiquity*. Ed. F. McCoy and G. Heiken. Boulder: Geological Society of America, 2000, pp. 71–82.

Richards, John. *The Unending Frontier: An Environmental History of the Early Modern World*. Berkeley: University of California Press, 2006.

Ringrose, David. *Expansion and Global Interaction, 1200–1700*. New York: Longman, 2001.

Ristvet, Lauren. *In the Beginning: World History from Human Evolution to the First States*. New York: McGraw-Hill, 2007.

Roller, Duane. *Ancient Geography: The Discovery of the World in Classical Greece and Rome*. London: I.B. Tauris, 2015.

Rothman, Mitchell, ed. *Uruk, Mesopotamia and Its Neighbors: Cross-Cultural Interactions in the Era of State Formation*. Santa Fe: School of American Research Press, 2001.

Rudwick, Martin. *Earth's Deep History: How It Was Discovered and Why It Matters*. Chicago: University of Chicago Press, 2014.

Russell, Peter. *Prince Henry 'the Navigator': A Life*. New Haven: Yale University Press,

Gosling, Raymond (interview). 'Due credit'. *Nature*, vol. 496 (2013). Available from www.nature.com/news/due-credit-1.12806

Green, R. et al. 'A draft sequence of the neanderthal genome'. *Science*, vol. 328, iss. 5979 (2010), pp. 710–22.

Hansen, Valerie. *The Open Empire: A History of China to 1600*. New York: W.W. Norton, 2000.

Headrick, Daniel. *Technology: A World History*. Oxford: Oxford University Press, 2009.

Heilbron, John. *Galileo*. Oxford: Oxford University Press, 2010.

Higman, B. *How Food Made History*. Chichester: Wiley Blackwell, 2012.

Hoskin, Michael. *Discoverers of the Universe: William and Caroline Herschel*. Princeton: Princeton University Press, 2011.

Hsu, Cho-yun. *Han Agriculture: The Formation of Early Chinese Agrarian Economy, 206 B.C.–220 A.D.* Ed. Jack Dull. Seattle: University of Washington Press, 1980.

Hubble, Edwin. 'A relation between distance and radial velocity among extra-galactic nebulae'. *Proceedings of the National Academy of Sciences*, vol. 15, no. 3 (1929), pp. 168–73.

Johnson, A. and T. Earle. *The Evolution of Human Societies: From Foraging Group to Agrarian State*. 2nd edn. Stanford: Stanford University Press, 2000.

Jones, Rhys. 'Fire-stick farming'. *Australian Natural History* vol. 16, no. 7 (1969), pp. 224–8.

Jordanova, Ludmilla. *Lamarck*. Oxford: Oxford University Press, 1984.

Karol, Paul et al. 'Discovery of the element with atomic number Z=118 completing the 7th row of the periodic table (IUPAC Technical Report)'. *Pure and Applied Chemistry*, vol. 88 (2016), pp. 155–60.

Kenyon, Kathleen. *Digging up Jericho*. London: Ernest Benn, 1957.

Kicza, John. 'The peoples and civilizations of the Americas before contact'. *Agricultural and Pastoral Societies in Ancient and Classical History*. Ed. Michael Adas. Philadelphia: Temple University Press, 2001.

King, Henry. *The History of the Telescope*. New York: Dover Publications, 2003.

Korotayev, A., A. Malkov and D. Khalturina. *Laws of History: Mathematical Modelling of Historical Macroprocesses*. Moscow: Komkniga, 2005.

Leakey, R. *The Sixth Extinction: Patterns of Life and the Future of Humankind*. New York: Doubleday, 1995.

Leavitt, Henrietta S. '1777 Variables in the Magellanic Clouds'. *Annals of Harvard College Observatory*, vol. 60, no. 4 (1908), pp. 87–108.

Leick, Gwendolyn. *Mesopotamia: The Invention of the City*. London: Penguin, 2001.

Lunine, J. *Earth: Evolution of a Habitable World*. Cambridge: Cambridge University Press, 1999.

Macdougall, Doug. *Why Geology Matters: Decoding the Past, Anticipating the Future*.

Christianson, Gale. *Edwin Hubble: Mariner of the Nebulae.* Chicago: University of Chicago Press, 1996.

Cipolla, Carlo. *Before the Industrial Revolution: European Society and Economy, 1000–1700.* 2nd edn. London: Methuen, 1981.

Cloud, Preston. *Oasis in Space: Earth History from the Beginning.* New York: W.W. Norton, 1988.

Cowan, C. and P. Watson, eds. *The Origins of Agriculture: An International Perspective.* Washington: Smithsonian Institution Press, 1992.

Crawford, Harriet. *Sumer and the Sumerians.* 2nd ed. Cambridge: Cambridge University Press, 2004.

Crosby, Alfred. *The Columbian Exchange: Biological and Cultural Consequences of 1942.* Conneticut: Greenwood Press, 1972.

D'Altroy, Terence. *The Incas.* Malden: Blackwell, 2002.

De Waal, Frans, B.M. *Tree of Origin: What Primate Behavior Can Tell Us about Human Social Evolution.* Cambridge: Harvard University Press, 2001.

Dunbar, Robin. *The Human Story: A New History of Mankind's Evolution.* London: Faber & Faber, 2004.

Dunn, Ross. *The Adventures of Ibn Battuta: A Muslim Traveler of the Fourteenth Century.* Berkeley: University of California Press, 2005.

Earle, Timothy. *How Chiefs Come to Power: The Political Economy in Prehistory.* Stanford: Stanford University Press, 1997.

Ehret, Christopher. *An African Classical Age: Eastern and Southern Africa in World History, 1000 B.C. to A.D. 400.* Charlottesville: University of Virginia Press, 1998.

Ellis, Walter. *Ptolemy of Egypt.* London: Routledge, 1994.

Elvin, Mark. *The Pattern of the Chinese Past.* Stanford: Stanford University Press, 1973.

Fagan, Brian. *People of the Earth: An Introduction to World Prehistory.* 10th edn. New Jersey: Prentice Hall, 2001.

Fernandez-Armesto, Felipe. *Before Columbus: Exploration and Colonisation from the Mediterranean to the Atlantic, 1229–1492.* London: Macmillan, 1987.

Flannery, Tim. *The Future Eaters: An Ecological History of the Australasian Lands and People.* Chatswood: Reed, 1995.

Frankel, Henry. *The Continental Drift Controversy: Wegener and the Early Debate.* Cambridge: Cambridge University Press, 2012.

Gates, Charles. *Ancient Cities: The Archaeology of Urban Life in the Ancient Near East and Egypt, Greece, and Rome*, 2nd edn. Abingdon: Routledge, 2011.

Ghiorso, A. et al. 'New elements einsteinium and fermium, atomic numbers 99 and 100'. *Physical Review*, vol. 99, iss. 3 (1955), pp. 1048–9.

Gordin, Michael. *A Well-Ordered Thing: Dmitrii Mendeleev and the Shadow of the Periodic Table.* New York: Basic Books, 2004.

in Britain. 2nd edn. London: Routledge, 1994.

Biraben, Jean-Noël. 'Essai sur l'évolution du nombre des hommes'. *Population*, vol. 34, no. 1, 1979, pp. 13–25.

Black, Jeremy. *War and the World: Military Power and the Fate of Continents, 1450–2000*. New Haven: Yale University Press, 1998.

Blackwell, Richard J. *Behind the Scenes at Galileo's Trial*. Notre Dame: University of Notre Dame Press, 2008.

Brantingham, P.J. et al. *The Early Upper Paleolithic Beyond Western Europe*. Berkeley: University of California Press, 2004.

Bray, Francesca. *The Rice Economies: Technology and Development in Asian Societies*. Oxford: Basil Blackwell, 1986.

Brown, Cynthia. *Big History: From the Big Bang to the Present*. New York and London: The New Press, 2007.

Browne, Janet. *Charles Darwin: Voyaging*. Princeton: Princeton University Press, 1996.

Bucciantini, Massimo, Michele Camerota and Franco Giudice. *Galileo's Telescope: A European Story*. Trans. Catherine Bolton. Cambridge: Harvard University Press, 2015.

Cavalli-Sforza, Luigi Luca, and Francesco Cavalli-Sforza. *The Great Human Diasporas*. Trans. Sarah Thorne. Reading: Addison-Wesley, 1995.

Chaisson, Eric. *Epic of Evolution: Seven Ages of the Cosmos*. New York: Columbia University Press, 2006.

Chaisson, Eric J. *Cosmic Evolution: The Rise of Complexity in Nature*. Cambridge: Harvard University Press, 2001.

Chaisson, Eric. 'Using complexity science to search for unity in the natural sciences'. In Charles Lineweaver, Paul Davies and Michael Ruse (eds). *Complexity and the Arrow of Time*. Cambridge: Cambridge University Press, 2013.

Chambers, John and Jacqueline Mitton. *From Dust to Life: The Origin and Evolution of Our Solar System*. Princeton: Princeton University Press, 2014.

Cheney, Dorothy and Robert Seyfarth. *Baboon Metaphysics: The Evolution of a Social Mind*. Chicago: University of Chicago Press, 2014.

Chi, Z. and H.C. Hung. 'The emergence of agriculture in southern China'. *Antiquity*, vol. 84, 2010, pp. 11–25.

Christian, David. 'The evolutionary epic and the chronometric revolution'. In Cheryl Genet et al. (eds). *The Evolutionary Epic: Science's Story and Humanity's Response*. Santa Margarita: Collins Foundation Press, 2009.

Christian, David. *Maps of Time: An Introduction to Big History*. Berkeley: University of California Press, 2004.

Christian, David. 'Silk Roads or Steppe Roads? The Silk Roads in World History'. *Journal of World History*, vol. 11., no. 1 (2000), pp. 1–26.

（*Plagues and Peoples*）
マクニール, ウィリアム・Hほか『世界史（Ⅰ・Ⅱ）人類の結びつきと相互作用の歴史』福岡洋一訳, 楽工社, 2015年.（*The Human Web*）
マディソン, アンガス『経済統計で見る 世界経済2000年史』金森久雄監訳, 政治経済研究所訳, 柏書房, 2004年.（*The World Economy*）
メイナード＝スミス, ジョンほか『生命進化8つの謎』長野敬訳, 朝日新聞出版, 2001年.（*The Origins of Life*）
ラマルク『動物哲学』小泉丹ほか訳, 岩波書店, 1954年.（*Philosophie Zoologique*）
ランガム, リチャードほか『男の凶暴性はどこからきたか』山下篤子訳, 三田出版会, 1998年.（*Demonic Males*）
リヴァシーズ, ルイーズ・E『中国が海を支配したとき』君野隆久訳, 新書館, 1996年.（*When China Ruled the Seas*）
リヴィーバッチ, マッシモ『人口の世界史』速水融ほか訳, 東洋経済新報社, 2014年.（*A Concise History of World Population*）
ワインバーグ, S『宇宙創成はじめの3分間』小尾信彌訳, 筑摩書房, 2008年.（*The First Three Minutes*）
ワトソン, ジェームス・D『二重らせん』江上不二夫ほか訳, 講談社, 2012年.（*The Double Helix*）
ワトソン, フレッド『望遠鏡400年物語』長沢工ほか訳, 地人書館, 2009年.（*Stargazer*）

未邦訳文献

Adas, Michael. *Islamic and European Expansion: The Forging of a Global Order*. Philadelphia: Temple University Press, 1993.
Adshead, S., *China in World History*. 2nd edn. Basingstoke: Macmillan, 1995.
Allsen, Thomas. *Culture and Conquest in Mongol Eurasia*. Cambridge: Cambridge University Press, 2001.
Archer, Christon, et al. *World History of Warfare*. Lincoln: University of Nebraska Press, 2002.
Asimov, Isaac. *Beginnings: The Story of Origins – of Mankind, Life, the Earth, the Universe*. New York: Walker, 1987.
Bairoch, Paul. *Cities and Economic Development: From the Dawn of History to the Present*. Trans. Christopher Braider. Chicago: University of Chicago Press, 1988.
Baker, David. 'Collective learning: A potential unifying theme of human history'. *Journal of World History*, vol. 26, no. 1, 2015, pp. 77–104.
Barfield, Thomas. *The Nomadic Alternative*. Englewood Cliffs: Prentice-Hall, 1993.
Barnett, S.A. *The Science of Life: From Cells to Survival*. Sydney: Allen & Unwin, 1998.
Bentley, Jerry. *Old World Encounters: Cross-Cultural Contacts and Exchanges in Pre-Modern Times*. Oxford: Oxford University Press, 1993.
Berg, Maxine. *The Age of Manufactures, 1700–1820: Industry, Innovation, and Work*

フェルナンデスーアルメスト, フェリペ『世界探検全史（上・下）』関口篤訳, 青土社, 2009年.（*Pathfinders*）

フォーティ, リチャード『地球46億年全史』渡辺政隆ほか訳, 草思社, 2008年.（*The Earth: An Intimate History*）

プトレマイオス『アルマゲスト』藪内清訳, 恒星社厚生閣, 1993年.（*Ptolemy's Almagest*）

プトレマイオス『プトレマイオス地理学』中務哲郎訳, 東海大学出版会, 1986年.（*Ptolemy's Geography*）

ブライソン, ビル『人類が知っていることすべての短い歴史（上・下）』楡井浩一訳, 新潮社, 2014年.（*A Short History of Nearly Everything*）

フレイザー, エヴァン・D・Gほか『食糧の帝国』藤井美佐子訳, 太田出版, 2013年.（*Empires of Food*）

ヘイゼン, ロバート『地球進化46億年の物語』円城寺守監訳, 渡会圭子訳, 講談社, 2014年.（*The Story of Earth*）

ベイリ, C・A『近代世界の誕生（上・下）』平田雅博ほか訳, 名古屋大学出版会, 2018年.（*The Birth of the Modern World*）

ヘッドリク, D・R『帝国の手先』原田勝正ほか訳, 日本経済評論社, 1989年.（*The Tools of Empire*）

ベルウッド, ピーター『農耕起源の人類史』長田俊樹ほか監訳, 京都大学学術出版会, 2008年.（*First Farmers*）

ベンター, J・クレイグ『ヒトゲノムを解読した男』野中香方子訳, 化学同人, 2008年.（*A Life Decoded*）

ボウラー, ピーター・J『進化思想の歴史（上・下）』鈴木善次ほか訳, 朝日新聞社, 1987年.（*Evolution*）

ホーキング, スティーヴン『ホーキング、未来を語る［普及版］』佐藤勝彦訳, アーティストハウス, 2004年.（*The Universe in a Nutshell*）

ホーキング, スティーヴンほか『ホーキング、宇宙と人間を語る』佐藤勝彦訳, エクスナレッジ, 2011年.（*The Grand Design*）

ホーキング, スティーヴンほか『ホーキング、宇宙のすべてを語る』佐藤勝彦訳, ランダムハウス講談社, 2005年.（*A Briefer History of Time*）

ポーロ, マルコ『東方見聞録［完訳］（1・2）』愛宕松男訳注, 平凡社, 2000年.（*The Travels of Marco Polo*）

ポメランツ, ケネス『大分岐』川北稔監訳, 坂本優一郎ほか訳, 名古屋大学出版会, 2015年.（*The Great Divergence*）

ポメランツ, ケネスほか『グローバル経済の誕生』福田邦夫ほか訳, 筑摩書房, 2013年.（*The World that Trade Created.* 2nd ed.）

ポンティング, クライブ『緑の世界史（上・下）』石弘之ほか訳, 朝日新聞出版, 1994年.（*A Green History of the World*）

マガウワン, クリストファー『恐竜を追った人びと』高柳洋吉訳, 古今書院, 2004年.（*The Dragon Seekers*）

マクニール, ウィリアム・H『疫病と世界史（上・下）』佐々木昭夫訳, 中央公論新社, 2007年.

Language of Life)
サーリンズ, マーシャル『石器時代の経済学［新装版］』山内昶訳, 法政大学出版局, 2012年.（*Stone Age Economics*）
シュマント＝ベッセラ, デニス『文字はこうして生まれた』小口好昭ほか訳, 岩波書店, 2008年.（*How Writing Came About*）
ジョンソン, ジョージ『リーヴィット』渡辺伸監修, 槇原凛訳, WAVE出版, 2007年.（*Miss Leavitt's Stars*）
ジョハンソン, ドナルド・Cほか『ルーシー』渡辺毅訳, どうぶつ社, 1986年.（*Lucy*）
ダーウィン, チャールズ『種の起源（上・下）』渡辺政隆訳, 光文社, 2009年.（*The Origin of Species by Means of Natural Selection*）
ダーウィン, チャールズ『ダーウィン自伝』八杉龍一ほか訳, 筑摩書房, 2000年.（*The Autobiography of Charles Darwin 1809–1882*）
ダーウィン, チャールズ・R『新訳ビーグル号航海記（上・下）』荒俣宏訳, 平凡社, 2013年.（*The Voyage of the Beagle*）
ダイアモンド, ジャレド『銃・病原菌・鉄（上・下）』倉骨彰訳, 草思社, 2012年.（*Guns, Germs, and Steel*）
ダイソン, フリーマン『ダイソン 生命の起原』大島泰郎ほか訳, 共立出版, 1989年.（*Origins of Life*）
ダグラス, アーヴィン『大絶滅』大野照文監訳, 沼波信ほか訳, 共立出版, 2009年.（*Extinction*）
タッターソル, イアン『サルと人の進化論』秋岡史訳, 原書房, 1999年.（*Becoming Human*）
タッターソル, イアン『ヒトの起源を探して』河合信和監訳, 大槻敦子訳, 原書房, 2016年.（*Masters of the Planet*）
デイヴィーズ, ケヴィン『ゲノムを支配する者は誰か』中村桂子監修, 中村友子訳, 日本経済新聞出版, 2001年.（*Cracking the Genome*）
テンプル, ロバート『図説 中国の科学と文明』牛山輝代訳, 河出書房新社, 2008年.（*The Genius of China*）
ドゥ・ヴァール, フランス『チンパンジーの政治学』西田利貞訳, 産経新聞社, 2006年.（*Chimpanzee Politics*）
ニュートン, アイザック『プリンシピア 自然哲学の数学的原理（第1編・第2編・第3編）』中野猿人訳, 講談社, 2019年.（*The Mathematical Principles of Natural Philosophy*）
ノール, アンドルー・H『生命最初の30億年』斉藤隆央訳, 紀伊國屋書店, 2005年.（*Life on a Young Planet*）
パーカー, ジェフリー『長篠合戦の世界史』大久保桂子訳, 1995年.（*The Military Revolution*）
パーシー, アーノルド『世界文明における技術の千年史』林武監訳, 東玲子訳, 新評論, 2001年.（*Technology in World Civilization*）
バロウ, ジョン・D『宇宙論大全』林一ほか訳, 青土社, 2013年.（*The Book of Universes*）
ピンカー, スティーブン『人間の本性を考える（上・中・下）』山下篤子訳, 日本放送出版協会, 2004年.（*The Blank Slate*）

参考文献

邦訳文献

アシュトン, T・S『産業革命』中川敬一郎訳, 岩波書店, 1973年. (*The Industrial Revolution*)

アルヴァレズ, ウォルター『絶滅のクレーター』月森左知訳, 新評論, 1997年. (*T. Rex and the Crater of Doom*)

アルバレス, ウォルター『ありえない138億年史』山田美明訳, 光文社, 2022年. (*A Most Improbable Journey*)

アレン, ロバート・C『世界史のなかの産業革命』眞嶋史叙ほか訳, 名古屋大学出版会, 2017年. (*The British Industrial Revolution in Global Perspective*)

ウィルキンズ, モーリス『二重らせん第三の男』長野敬ほか訳, 岩波書店, 2005年. (*The Third Man of the Double Helix*)

ウエゲナー, アルフレッド『大陸と海洋の起源』竹内均訳・解説, 講談社, 1990年. (*The Origin of Continents and Oceans*)

ガリレイ, ガリレオ『天文対話(上・下)』青木靖三訳, 岩波書店, 1959年. (*Dialogue Concerning the Two Chief World Systems*)

ギンガリッチ, オーウェンほか『コペルニクス』林大訳, 大月書店, 2008年. (*Nicolaus Copernicus*)

グドール, ジェーン『心の窓』高崎和美ほか訳, どうぶつ社, 1994年. (*Through a Window*)

グドール, ジェーン『野生チンパンジーの世界[新装版]』杉山幸丸ほか訳, ミネルヴァ書房, 2017年. (*The Chimpanzees of Gombe: Patterns of Behavior*)

クライン, リチャード・Gほか『5万年前に人類に何が起きたか?』鈴木淑美訳, 新書館, 2004年. (*The Dawn of Human Culture*)

クラウス, ローレンス『宇宙が始まる前には何があったのか?』青木薫訳, 文藝春秋, 2013年. (*A Universe from Nothing*)

クリスチャン, デイヴィッド『オリジン・ストーリー』柴田裕之訳, 筑摩書房, 2019年. (*Origin Story*)

クリスチャン, デヴィッドほか『ビッグヒストリー われわれはどこから来て、どこへ行くのか』長沼毅監修, 石井克弥ほか訳, 明石書店, 2016年. (*Big History*)

コウ, マイケル・D『メキシコ』寺田和夫ほか訳, 学生社, 1975年. (*Mexico*)

コーエン, マーク・N『健康と文明の人類史』中元藤茂ほか訳, 人文書院, 1994年. (*Health and the Rise of Civilization*)

コペルニクス『完訳 天球回転論[新装版]』高橋憲一訳・解説, みすず書房, 2023年. (*De hypothesibus motuum coelestium a se constitutis commentariolus*)

コペルニクス『天体の回転について』矢島祐利訳, 岩波書店, 1953年. (*De revolutionibus orbium coelestium*)

コリンズ, フランシス・S『遺伝子医療革命』矢野真千子訳, NHK出版, 2011年. (*The

は

ま

や

ら

わ

アルファベット

さ

索引

画像クレジット

- p.37, 53, 68, 69, 71, 117, 204, 206, 232 Aira Pimping
- p.176, 185, 189, 228, 252, 288 Alan Laver
- p.35 NASA/WMAP Science Team/Science Photo Library
- p.54 NASA/JPL-Caltech/R. Hurt (SSC-Caltech)/Wikimedia Commons
- p.56 Inductiveload/Wikimedia Commons
- p.77 Mikkel Juul Jensen/Science Photo Library
- p.83 Mark Garlick/Science Photo Library
- p.85 Gary Hincks/Science Photo Library
- p.104 CNX OpenStax/Wikimedia Commons
- p.125 Nicolas Primola/Shutterstock
- p.126 Sebastian Kaulitzki/Alamy
- p.127 Liliya Butenko/Shutterstock
- p.131 Gwen Shockey/Science Photo Library
- p.133 Junnn11/Wikimedia Commons
- p.134 Nobumichi Tamura, Stocktrek Images/Alamy
- p.136 Richard Bizley/Science Photo Library
- p.137 Michael Long/Science Photo Library
- p.141 tinkivinki/Shutterstock
- p.144 Sebastian Kaulitzki/Science Photo Library
- p.151 Bjoertvedt, Kitty Terwolbeck/Wikimedia Commons
- p.160 S. Entressangle, E. Daynes/Science Photo Library
- p.165 DK IMAGES/Science Photo Library
- p.213 Rebecca Rose Flores/Alamy
- p.236 E Pluribus Anthony, Cogito ergo sumo, F l a n k e r/Wikimedia Commons
- p.238 Lewis H. Morgan/Wikimedia Commons
- p.241 Belsky/Wikimedia Commons
- p.255 Paul Fürst, Copper engraving of Doctor Schnabel [i.e Dr. Beak], a plague doctor in seventeenth-century Rome, with a satirical macaronic poem, c.1656, via Wikimedia Commons
- p.261 Theodor de Bry/Wikimedia Commons
- p.265 INTERFOTO/Alamy
- p.308 Science Photo Library/Alamy
- p.323 Kevin Gill/Wikimedia Commons

［著者］

デイヴィッド・ベイカー（David Baker）

カルガリー大学（カナダ）で歴史学修士号、ビッグヒストリーの世界的拠点であるマッコーリー大学（オーストラリア）でビッグヒストリーの博士号を世界で初めて取得。アムステルダム大学（オランダ）、マッコーリー大学、ソルボンヌ大学（フランス）など、世界中で講義を行ってきた。自然科学と社会科学のアプローチを組み合わせて、人類史における数学的なパターンや、数十億年にわたる宇宙進化の中での熱力学と複雑なシステムとの関係など、広範なタイムスケールでの歴史的トレンドを探究している。他の著書に『The Hitchhiker's Guide to Big History』『The Shortest History of Sex』、共著に『The Routledge Companion to Big History』などがある（いずれも未邦訳）。1500万人以上がチャンネル登録している教育系YouTube番組「クラッシュコース」でビッグヒストリー・シリーズのシナリオを担当するなど、啓発活動にも力を入れている。

［訳者］

御立英史（みたち・えいじ）

翻訳者。訳書に、ハーショヴィッツ『父が息子に語る壮大かつ圧倒的に面白い哲学の書』、グリタ＆マン『GE帝国盛衰史』（ともにダイヤモンド社）、カプラン＆ウェイナースミス『国境を開こう――移民の倫理と経済学』（あけび書房）、サイダー『聖書の経済学』『イエスは戦争について何を教えたか』（ともにあおぞら書房）などがある。

早回し全歴史
――宇宙誕生から今の世界まで一気にわかる

2024年5月14日　第1刷発行
2024年5月30日　第2刷発行

著　者――デイヴィッド・ベイカー
訳　者――御立英史
発行所――ダイヤモンド社
〒150-8409　東京都渋谷区神宮前6-12-17
https://www.diamond.co.jp/
電話／03･5778･7233（編集）　03･5778･7240（販売）
ブックデザイン――小口翔平＋畑中茜＋青山風音（tobufune）
本文DTP――キャップス
校正――――LIBERO
製作進行――ダイヤモンド・グラフィック社
印刷――――勇進印刷
製本――――ブックアート
編集担当――三浦岳

ISBN 978-4-478-11683-8